D1309090

PASTA ET CETERA **à la di Stasio**

PASTA ET CETERA **à la di Stasio**

Recettes de Josée di Stasio

Photographiées par Jean Longpré

Catalogage avant publication de Bibliothèque et Archives nationales
du Québec et Bibliothèque et Archives Canada

Di Stasio, Josée
    Pasta et cetera à la di Stasio
    ISBN 978-2-89077-330-1
    1. Cuisine (Pâtes alimentaires). 2. Cuisine italienne. I. Titre.
TX809.M17D52 2007   641.8'22   C2007-941724-8

Du même auteur :
À la di Stasio, Josée di Stasio, photos Louise Savoie, Flammarion Québec, 2004.

À la di Stasio, c'est aussi une émission de télévision animée
par Josée di Stasio, diffusée à Télé-Québec et produite par Zone3.

Design **orangetango**
Photo de la couverture et des pages 8 et 53 **Monic Richard**
Conseiller et styliste culinaire **Stéphan Boucher**
Révision du contenu rédactionnel **Josée Robitaille**
Assistante-photographe (recettes) **Nathalie Chapdelaine**
Assistant-photographe (couverture et pages 8 et 53) **Maxime Desbiens**

© 2007, Flammarion Québec et Josée di Stasio

Toute adaptation ou utilisation de cette œuvre, en tout ou en partie, par quelque moyen que
ce soit, par toute personne ou tout groupe, amateur ou professionnel, est formellement
interdite sans l'autorisation écrite de l'auteur de tels droits ou de son agent autorisé. Pour
toute autorisation, veuillez communiquer avec l'agent autorisé de l'auteur : Agence Goodwin,
839, rue Sherbrooke Est, bureau 200, Montréal (Québec) H2L 1K6, www.agencegoodwin.com.

ISBN : 978-2-89077-330-1
Dépôt légal : 4ᵉ trimestre 2007
Cet ouvrage a été imprimé par l'imprimerie Friesens au Manitoba, Canada.

www.flammarion.qc.ca

TABLE DES MATIÈRES

POUR MES GRANDS-PARENTS – En quittant leur terroir italien pour venir s'établir à Montréal, mes grands-parents di Stasio ont apporté avec eux la conviction que bien manger était un gage de bonheur au quotidien. Leurs modestes moyens n'empêchaient pas ma grand-mère de préparer des plats toujours savoureux. Dans sa cuisine, il y avait l'essentiel : un mélange de fines herbes séchées que la voisine lui offrait à la fin de l'été, une bouteille d'huile d'olive, de l'ail, du piment et des produits frais. Voilà d'où me vient ma palette de saveurs méditerranéennes. Ce livre me rapproche de mes origines italiennes et c'est à Mariannina et à Guido que j'ai pensé en le faisant. Je suis certaine qu'ils se réjouiraient des émissions tournées en Italie... et aussi de mes progrès en italien.

LA CUISINE ITALIENNE REND HEUREUX – Ces pages embaument l'Italie, sa cuisine du quotidien, goûteuse, conviviale et sans tapage. La simplicité est ici promesse de plaisir : celui de se rappeler qu'il y a des saisons, des produits locaux, et celui de prendre le temps de les savourer. J'ai fait de belles rencontres et j'ai appris plein d'astuces, mais je retiens que la base de toute bonne cuisine est la recherche d'aliments de qualité, *punto*. Les Italiens ont suffisamment confiance en leurs produits pour ne pas les trafiquer, ce qui est en soi une forme de sophistication.

J'admire la fierté qu'ils ont à transmettre leur tradition culinaire, car pour un Italien, la bonne façon de faire reste toujours celle de sa famille. Ils ont tous la meilleure recette. Et elles sont toutes différentes ! En Italie, on ne fait pas que manger, on en parle... et on a beaucoup à dire sur le sujet. Cela donne envie d'adopter ce patrimoine gourmand fait de goûts, d'odeurs et d'une certaine *dolce vita* que je souhaite partager avec vous au gré de ces recettes.

PASTA ET CETERA

Ce livre est un guide, un répertoire de recettes que j'ai mises à ma main et qui n'attendent que votre touche personnelle. Les recettes viennent de partout : lectures, amis, famille, voyages et, bien sûr, tous les invités qui ont partagé mes casseroles. Si nombre d'entre elles respectent d'assez près la tradition, certaines s'éloignent des conventions. Que mes amis italiens me pardonnent. Une pâte courgettes et feta ; où sommes-nous ? Un limoncello fait à partir de vodka peut-il porter ce nom ? Un macaroni au cheddar, ciel ! Tout est dans le senti plus que dans le fait de suivre une recette à la lettre. Je vous propose ma version. Quelle sera la vôtre ?

Contrairement à ce qui se fait en Italie où les pâtes sont servies en *primo piatto* (en entrée), nous les mangeons ici en plat principal. Vous trouverez dans ce livre des pâtes aux couleurs du marché, réconfortantes pour la saison froide, plusieurs végétariennes, assez raffinées pour recevoir, et souvent rapides à préparer et composées de trois fois rien. Plus de cinquante recettes et autant de variantes, de quoi manger une pâte différente chaque semaine pendant deux ans.

Pour les accompagner, j'ai sélectionné des antipasti, à déguster sans se casser la tête avec un bon verre de vin, et des douceurs afin de prolonger le plaisir de bavarder autour de la table. À la fin du livre, une section réunit des recettes de base et autres petits trucs qui vous simplifieront la vie. Un lexique présente les produits italiens utilisés en suggérant des solutions de remplacement.

Souvent, les meilleures pâtes sont celles qu'on va improviser. Cuisiner à l'instinct est un plaisir. Alors, n'hésitez pas à ajuster les quantités à votre guise et à expérimenter à votre tour. C'est juste ça. Et c'est souvent parfait ainsi.

ANTIPASTI & MINESTRE

UN APÉRO ET DES ENTRÉES

Antipasti se traduit par « ce qui vient avant le repas ».

On prend plaisir à cuisiner ou alors on sert simplement des crudités, des olives, des charcuteries, des fromages… Et si on trouve une bonne tartinade du commerce pour les bruschette, pourquoi pas ! Le truc, c'est de choisir des produits de qualité, de saison ou préparés par de bons artisans.

Si vous avez envie de cuisiner, je vous propose dans ce chapitre des amuse-bouches à grignoter à l'apéro et des entrées. L'un et l'autre peuvent aisément se transformer en lunch agréable. Plusieurs recettes se préparent à l'avance, parce qu'à l'heure de l'apéro, c'est aussi croire que la *dolce vita* existe ! Laissez-vous inspirer par les images et guider par vos papilles.

TUILES AU FROMAGE

On se dispute tous la croûte fine et craquante d'un plat gratiné. Eh bien, en voici pour tout le monde. À tout coup, l'assiette se vide. Une recette rétro qui prend encore.

12 TUILES

160 ml (2/3 tasse) de grana padano ou parmesan râpés

+ 160 ml (2/3 tasse) de cheddar râpé*

+ 2 c. à soupe de graines de sésame ou pistaches (p. 173) hachées (facultatif)

* On peut également préparer ces tuiles en n'utilisant que le grana padano ou le parmesan.

Préchauffer le four à 180 °C (350 °F). Tapisser une plaque à cuisson de papier parchemin ou d'une feuille de silicone ou utiliser une plaque antiadhésive.

…

Dans un bol, mélanger les fromages.

…

Mettre 2 c. à soupe du mélange sur la plaque et égaliser à l'aide d'une fourchette, afin d'obtenir une tuile d'environ 8 cm (3 po) de diamètre. Répéter l'opération en espaçant les tuiles d'au moins 5 cm (2 po).

…

Garnir si désiré de graines de sésame ou de pistaches.

…

Cuire au centre du four environ 10 min. Surveiller la cuisson, car les tuiles sont prêtes lorsqu'elles sont légèrement dorées (pas trop, le fromage développerait de l'amertume). Sortir du four et attendre un peu avant de les manipuler avec une spatule. Refroidir sur une grille.

…

Les tuiles se conservent quelques jours dans une boîte métallique hermétique, à la température ambiante. Au besoin, les réchauffer 1 à 2 min au four pour leur redonner leur croustillant.

CHIPS DE SALAMI

Facile, rapide, à croquer avec des crudités et des olives à l'heure de l'apéro ou encore en garniture sur une salade ou sur une pâte.

12 CHIPS

12 tranches de salami très minces

Préchauffer le four à 180 °C (350 °F).

…

Mettre les tranches de salami sur une plaque à cuisson. Cuire au four de 7 à 10 min, en les retournant à mi-cuisson. Déposer sur un papier absorbant.

…

Les chips de salami se conservent quelques jours dans une boîte métallique hermétique. Si les chips sont consommées la journée même, les conserver à la température ambiante, sinon les garder au réfrigérateur. Au service, les réchauffer 1 à 2 min au four pour leur redonner leur croustillant.

PETITES BOULETTES AUX POIREAUX

Ça ne manque pas, dès qu'il y a une assiette de boulettes à l'apéro, tout disparaît !

30 À 36 BOULETTES

3 c. à soupe d'huile d'olive ou beurre

+ 1 l (4 tasses) de blancs de poireaux parés en dés

+ 1 gros œuf

+ 125 ml (1/2 tasse) de pain sec émietté ou en dés

+ 125 ml (1/2 tasse) de parmesan râpé

+ Sel et poivre du moulin

Préchauffer le four à 180 °C (350 °F).

...

Dans une grande poêle, chauffer 2 c. à soupe d'huile à feu moyen et faire revenir le poireau 5 min, en prenant soin de ne pas le laisser brunir. Laisser tiédir de 5 à 10 min.

...

Dans un bol, battre l'œuf et ajouter le pain, le parmesan, le reste de l'huile et le poireau sauté. Saler et poivrer, bien mélanger.

...

Façonner des boulettes d'environ 2,5 cm (1 po) de diamètre en pressant fortement. Les déposer sur une plaque à cuisson légèrement huilée.

...

Cuire au four 20 min, en les tournant une fois, jusqu'à ce qu'elles soient dorées.

...

Servir chaudes ou tièdes à l'apéro avec des crudités et des olives.

SHOOTER À LA ROQUETTE

Pour porter à son maximum le plaisir, refroidir les petits verres au congélateur.
Ma recette est inspirée de Heinz Beck restaurateur au Hilton, à Rome.

8 À 10 SHOOTERS

500 ml (2 tasses) de roquette sans les tiges

+ 250 ml (1 tasse) de Ginger Ale

+ 500 ml (2 tasses) de sorbet au citron*

+ Vodka (facultatif)

* Choisir un sorbet de bonne qualité, pas trop sucré et qui ne contient pas de produit laitier.

Placer les petits verres à shooter au congélateur au moins 30 min à l'avance.

...

Mettre tous les ingrédients dans le récipient du mélangeur et réduire en purée jusqu'à consistance homogène.

...

Verser dans les verres glacés et servir immédiatement.

BOUCHÉES À LA SAUCISSE

Une belle recette du beau Stefano Faita,
à grignoter à l'apéro, en sandwich ou dans une sauce tomate.

48 À 60 BOUCHÉES

500 ml (2 tasses) de mie de pain
(sans la croûte) déchiquetée

+ 180 ml (3/4 tasse) de lait

+ 225 g (1/2 lb) de saucisses italiennes

+ 225 g (1/2 lb) de veau haché

+ 250 ml (1 tasse) de parmesan râpé

+ 60 ml (1/4 tasse) de persil italien haché

+ 1 c. à thé de muscade râpée

+ 1 gros œuf

+ Chapelure (facultatif)

+ Un peu d'huile et/ou beurre

+ Sel et poivre du moulin

Préchauffer le four à 190 °C (375 °F).

...

Dans un grand bol, faire tremper
la mie de pain dans le lait 15 min.

...

Retirer la peau des saucisses.
Ajouter à la mie de pain la chair à
saucisses et les autres ingrédients,
à l'exception de l'huile. Saler et
poivrer, bien mélanger. Si la
consistance de la préparation est
trop molle, incorporer un peu de
chapelure ou un peu plus de mie
de pain.

...

Façonner des boulettes d'environ
2,5 cm (1 po) de diamètre.

...

Dans une poêle, chauffer l'huile à
feu moyen-élevé et saisir les
boulettes, en prenant soin de les
retourner souvent jusqu'à ce
qu'elles soient dorées
uniformément, environ 7 min.

...

Déposer les boulettes sur une
plaque à cuisson. Cuire au four de
10 à 15 min ou jusqu'à ce que la
viande soit cuite.

...

Servir à l'apéro ou à l'heure du
lunch, accompagnées d'une salade
et de quelques quartiers de tomate.

SUGGESTIONS

Avec des pâtes : On peut ajouter les
boulettes à une sauce tomate et
servir sur des pâtes.

...

En sandwich : Façonner cette
préparation en croquettes, cuire et
servir dans un sandwich.

TREMPETTE AUX POIVRONS ROUGES

Une trempette pleine de saveurs qui rehausse à peu près tout !

310 ML (1 1/4 TASSE)

2 ou 3 poivrons rouges rôtis et pelés
(p. 176) ou poivrons au naturel en bocal,
égouttés, rincés, épongés

+ 125 ml (1/2 tasse) d'amandes émondées
  ou de pignons, rôtis légèrement

+ 2 gousses d'ail confites (p. 170)
  ou une pointe d'ail haché

+ Une grosse poignée de basilic
  ou autre herbe

+ Tabasco, piment de Cayenne
  ou sauce piquante

+ 3 à 4 c. à soupe d'huile d'olive

+ 1 c. à soupe de vinaigre de vin rouge
  ou balsamique

+ Sel

Mettre les poivrons, les amandes,
l'ail, le basilic et le piment dans le
récipient du mélangeur. Saler et
réduire en purée jusqu'à l'obtention
d'une consistance lisse.

…

Ajouter l'huile graduellement et
émulsionner pour obtenir une
onctuosité qui ressemble à celle
d'une mayonnaise. Incorporer le
vinaigre. Vérifier l'assaisonnement.

AU SERVICE

Servir avec des crudités de fenouil,
concombre et céleri.

…

Tartiner des crostini et garnir
d'olives noires dénoyautées et
émincées.

…

Servir en entrée avec des crevettes
grillées.

…

Servir en accompagnement
d'un poisson ou viande grillés.

BRUSCHETTA ET CROSTINI

BRUSCHETTA Une tranche de pain de campagne ou rustique, entière ou coupée en deux. Idéalement grillée sur un feu de bois ou encore sur le barbecue, sous le gril du four ou simplement au grille-pain. Parfois frottée d'une demi-gousse d'ail alors que le pain est encore chaud. Lorsque le pain est grillé, il retient davantage les parfums de l'ail. Comme les bruschette sont souvent arrosées d'un filet d'huile, on en profite pour en utiliser une très bonne. Si on sale, on opte pour un sel de mer. On sert les bruschette soit avec les antipasti, en entrée ou alors pour le lunch. C'est d'ailleurs la tradition en Italie de profiter de l'huile fraîchement pressée en la goûtant versée en filet sur du pain grillé. CROSTINI C'est ce que nous appelons les croûtons. Les crostini sont plus petits que la bruschetta, ce sont des tranches fines faites avec une baguette ou une ficelle ou encore une tranche de pain coupée en quatre. On place les crostini sur une plaque à cuisson et on met au four à 180 °C (350 °F) de 10 à 15 min, ou jusqu'à ce que le pain soit doré. On peut aussi frotter le pain chaud d'une demi-gousse d'ail ou encore le badigeonner d'huile avant ou après la cuisson.

————————

COMPOTÉE DE POIVRONS

Pour profiter pleinement de la saison des poivrons et s'amuser à mélanger les doux et les forts. Une compotée à essayer avec les pâtes, les salades de haricots secs, bref, pas seulement à l'heure de l'apéro. Alors, tant mieux s'il en reste.

750 ML (3 TASSES)
60 ml (1/4 tasse) d'huile d'olive
+ 5 poivrons rouges, jaunes ou orange pelés* ou pas, en dés
+ 1 oignon haché
+ Piment (piment fort frais haché finement, piments broyés ou purée de piments forts), au goût
+ 1 ou 2 gousses d'ail hachées (facultatif)
+ 125 ml (1/2 tasse) d'olives noires et vertes dénoyautées, hachées (facultatif)
+ 60 ml (1/4 tasse) de menthe ou herbes fraîches ciselées
+ 2 à 3 c. à soupe de câpres
+ Sel et poivre du moulin

* Si vous pelez les poivrons (p. 176), réduire le temps de cuisson.

Dans une grande poêle, chauffer l'huile à feu moyen-élevé et faire revenir les poivrons, l'oignon et le piment 20 min, en remuant régulièrement. Saler, poivrer, ajouter l'ail et poursuivre la cuisson 1 min.

…

Retirer du feu et ajouter le reste des ingrédients. Vérifier l'assaisonnement.

AU SERVICE

Servir la compotée de poivrons sur une bruschetta ou sur des morceaux de croûte de pizza cuite. Cette pâte s'achète aussi déjà huilée et assaisonnée.

…

Tartiner du pain grillé de chèvre frais et déposer une cuillerée de compotée de poivrons.

…

Servir en accompagnement d'un poulet rôti froid ou viande blanche grillée.

…

Garnir des burgers ou des panini.

NOTE

La compotée de poivrons est encore meilleure préparée la veille. Cependant, n'ajouter les câpres et les olives qu'au moment de servir.

TARTINADE DE FROMAGE AUX ANCHOIS

J'ai découvert cette trempette au goût subtil chez Evelina, mon professeur d'italien. Deux ingrédients et c'est tout bon. Avec un tube de pâte d'anchois au réfrigérateur, on peut improviser vinaigrettes, sauces, mayonnaises, pâtes et *tutti quanti*.

125 ML (1/2 TASSE)

120 g (4 oz) de fromage à la crème à la température ambiante ou mascarpone

+ 1 c. à soupe de pâte d'anchois

+ Garniture (facultatif) :
  poivre du moulin, ciboulette hachée ou zeste de citron

Dans un bol, bien mélanger le fromage et la pâte d'anchois.

AU SERVICE

Tartiner des crostini, des tranches de concombre, des morceaux de fenouil, des feuilles d'endive ou du céleri. Aussi, bon en trempette avec des grissini.

TARTINADE DE HARICOTS BLANCS AU ROMARIN

Cette purée est délicieuse sur un pain frotté à l'ail. Très bonne à l'heure de l'apéro et fort appréciée pour le lunch dans un sandwich ou avec des crudités.

500 ML (2 TASSES)

3 c. à soupe d'huile d'olive

+ 1 oignon haché

+ 2 gousses d'ail hachées

+ 1 boîte de 540 ml (19 oz) de haricots blancs de type cannellini rincés, égouttés

+ Jus de 1 citron

+ 1 à 2 c. à soupe de romarin haché ou 3 c. à soupe de basilic haché finement

+ Sel et poivre du moulin

+ Garniture (facultatif) :
  zeste de citron râpé

Dans une poêle, chauffer l'huile et faire revenir l'oignon, à feu moyen-doux, jusqu'à ce qu'il soit transparent. Une minute avant la fin de la cuisson, ajouter l'ail. Mettre dans le bol du robot culinaire.
…

Ajouter les haricots, le jus de citron et le romarin. Saler, poivrer et réduire en purée. Si la consistance est trop épaisse, ajouter un peu d'eau ou jus de citron.

AU SERVICE

Garnir de zeste de citron râpé et arroser d'un filet d'huile d'olive.

TARTINADE AUX ARTICHAUTS

D'une simplicité désarmante et l'effet est assuré à l'apéro. Que des ingrédients qu'on peut toujours avoir sous la main.

180 ML (3/4 TASSE)

250 ml (1 tasse) de cœurs d'artichauts marinés, égouttés

+ 1 c. à thé de zeste de citron râpé finement

+ 5 c. à soupe de parmesan râpé

+ Huile d'olive ou huile d'olive au citron

+ Persil italien haché (facultatif)

+ Sel et poivre du moulin

+ Garniture (facultatif) :
  olives noires ou farcies hachées

Mettre les artichauts, le zeste et le parmesan dans le bol du robot culinaire, en prenant soin de réserver quelques cœurs d'artichauts. Actionner le robot en ajoutant un filet d'huile jusqu'à ce que la préparation soit à peine texturée. Transférer dans un bol.
…

Hacher les cœurs d'artichauts réservés et ajouter à la purée d'artichauts. Saler, poivrer et, si désiré, ajouter du persil.

NOTE

Cette tartinade peut se préparer à l'avance afin que les saveurs se développent.

LE PROSCIUTTO

Avec un bon jambon cru, on va au plus simple.

On le fait trancher finement par le boucher et on le mange le plus tôt possible :

AVEC DES FRUITS Le plus classique, c'est de le manger avec un melon. Il faut en choisir un bon, lourd, sans marques et parfumé. On le poivre généreusement. Et voilà ! Avec des figues fraîches ou grillées. Délicieux aussi avec des poires ou des pêches. AVEC DU FROMAGE De la mozzarella, un filet d'huile et du poivre du moulin. Un morceau de parmesan ou de grana padano.

AVEC DES GRISSINI Ou un pain de campagne bien croûté, tartiné de beurre non salé ou arrosé d'un filet d'huile. AVEC UNE SALADE Roquette, jeunes pousses ou chicorée, copeaux de parmesan et quartiers de poire.

––––––––––

PROSCIUTTO, ASPERGES, SAUCE MOUTARDE

Je préfère utiliser des asperges bien charnues pour cette recette traditionnelle revisitée.
Un amuse-bouche qui passe aussi très bien à table au moment de l'entrée.

32 BOUCHÉES

125 ml (1/2 tasse) de crème fraîche*

+ 2 c. à soupe de moutarde en grains

+ Zeste de 1 citron (bio si possible) râpé finement

+ 16 asperges moyennes parées (p. 170)

+ 8 tranches fines de prosciutto

+ Sel et poivre du moulin

* Ou fromage à la crème (le fouetter avec un peu de lait ou crème) ou yogourt nature égoutté pendant 1 h dans une passoire tapissée d'un coton à fromage ou d'un papier absorbant.

Dans un bol, mélanger la crème, la moutarde et le zeste. Saler et poivrer, vérifier l'assaisonnement et réserver.

...

Dans une casserole d'eau bouillante salée, cuire les asperges de 2 à 3 min ou jusqu'à ce qu'elles soient encore croquantes. Les plonger aussitôt dans l'eau glacée afin d'arrêter la cuisson. Égoutter les asperges et les couper en deux.

...

Couper les tranches de prosciutto en quatre et les enrouler autour des demi-asperges.

...

Disposer sur une assiette de service et accompagner de la sauce à la moutarde.

NOTE

Vous pouvez aussi servir ces roulés au prosciutto en entrée, les disposer dans les assiettes et verser un filet de sauce sur chaque portion.

BOUCHÉES DE BRESAOLA AU CHÈVRE

Pour faire plus ample connaissance avec la bresaola, allez faire un tour au lexique à la fin de ce livre (p. 182). La bresaola est délicieuse avec le melon, les figues et les poires.

18 BOUCHÉES

145 g (5 oz) de fromage de chèvre crémeux

+ Un peu d'huile d'olive

+ Zeste de citron

+ 18 tranches fines de bresaola ou viande des Grisons

+ 18 feuilles de roquette ou cresson sans la tige

+ Sel et poivre du moulin

Dans un bol, mélanger le fromage, l'huile et le zeste. Saler et poivrer.

...

Tartiner un peu de préparation au fromage sur la moitié de la tranche de bresaola, y déposer la roquette et plier en sandwich.

...

Servir à l'apéro.

BRESAOLA ET PAMPLEMOUSSE ROSE

C'est en Suisse que j'ai assisté pour la première fois au mariage viande des Grisons et pamplemousse.
J'ai retrouvé le même couple en Italie avec la bresaola (p. 182).
Viandes séchées et pamplemousse font définitivement bon ménage.

Pamplemousses roses

+ Fines tranches de bresaola ou viande des Grisons

+ Un filet d'huile d'olive ou huile d'olive au citron

+ Poivre du moulin

+ Petite roquette ou feuilles de cresson

Peler à vif les pamplemousses et en prélever les segments (p. 170).

...

Dans une grande assiette, disposer les tranches de bresaola. Placer les segments de pamplemousse au centre.

AU SERVICE

Arroser d'un filet d'huile et poivrer généreusement. Garnir de verdure et servir.

PIZZA SCAPPATA

Scappata veut dire « s'est enfuie », comme la croûte de cette pizza.
Cette recette est un souvenir d'enfance que Giampaolo Motta a partagé avec nous pour une émission
tournée dans la région du Chianti. Avec ce plat, le mot convivialité prend tout son sens !

4 PORTIONS

2 à 3 c. à soupe d'huile d'olive

+ 1 gousse d'ail coupée en 2
+ 1 boîte de 540 ml (19 oz) de tomates italiennes entières ou en dés
+ 1 mozzarella di bufala, 1 mozzarina ou 4 bocconcini
+ Basilic déchiré
+ Pain de campagne
+ Sel et poivre du moulin

Dans une grande poêle, chauffer l'huile à feu doux et faire infuser l'ail de 3 à 4 min sans le laisser brunir.

...

Ajouter les tomates, saler et cuire à feu moyen-élevé, environ 10 min, en remuant régulièrement. Écraser légèrement les tomates à l'aide d'une fourchette. Poursuivre la cuisson quelques minutes pour que la sauce réduise. Retirer l'ail.

...

Tailler le fromage en tranches et le déposer sur la sauce. Laisser fondre sans remuer 1 min et retirer du feu.

...

Parsemer de basilic et arroser d'un mince filet d'huile d'olive. Poivrer, si désiré.

AU SERVICE

Déguster la pizza scappata dans la poêle en y trempant tout simplement des bouts de pain.

BRUSCHETTA AUX PALOURDES

Aux palourdes ou aux moules, c'est selon votre goût. Ce qui fait la différence, c'est la fraîcheur des coquillages et du bon pain bien grillé que l'on mouille avec le jus de cuisson.

4 PORTIONS

1 kg (2 lb) de petites palourdes fraîches*
+ 3 c. à soupe d'huile d'olive
+ 2 gousses d'ail coupées en 2
+ 2 échalotes françaises
  ou 1 petit oignon hachés finement
+ 180 ml (3/4 tasse) de vin blanc
+ Piments broyés, au goût
+ 125 ml (1/2 tasse) de persil
  italien haché
+ Tranches de pain de campagne
+ Poivre du moulin

* Peut aussi se faire avec des moules en augmentant la quantité, si désiré.

Laver les palourdes à l'eau froide et les brosser soigneusement.

...

Dans une grande casserole, chauffer l'huile à feu doux et faire revenir 3 demi-gousses d'ail et l'échalote, de 4 à 5 min, jusqu'à ce que ce soit doré.

...

Ajouter le vin blanc, le piment si désiré et porter à ébullition.

...

Ajouter les palourdes, baisser le feu à moyen-élevé et couvrir. Cuire 7 à 8 min ou jusqu'à ce que les coquillages soient ouverts, en remuant à quelques reprises. Jeter les palourdes qui ne sont pas ouvertes.

...

Ajouter le persil et bien mélanger.

...

Griller les tranches de pain et les frotter avec la demi-gousse d'ail restante. Placer les tranches de pain dans des assiettes creuses. Disposer les palourdes sur le pain et verser une louche de jus de cuisson, en prenant soin de laisser au fond de la casserole le sable que les coquillages auraient pu rejeter en s'ouvrant.

...

Arroser d'un filet d'huile d'olive, poivrer et servir aussitôt.

LES SALADES

Pour apprêter une salade à l'italienne, c'est tout simple : pas de vinaigrette émulsionnée
avec de la moutarde et surtout pas une longue liste d'ingrédients. Du vinaigre de vin ou balsamique,
du sel, une belle huile d'olive extra-vierge choisie amoureusement et du poivre fraîchement moulu,
c'est tout. Assaisonnez à la dernière minute et touillez délicatement pour ne pas froisser
les feuilles de salade. Le jus de citron remplace parfois le vinaigre ou les deux se mélangent.
Au goût, on y ajoutera de l'ail, que l'on frotte dans le bol ou qu'on pile avec un peu de sel ;
ou des anchois écrasés à la fourchette dans le vinaigre ou le jus de citron ; ou du fromage parmesan,
grana padano râpés ou en copeaux ; ou une poignée d'herbes fraîches. Et voilà !

— — — — — — — —

SALADE D'ORANGES À LA SICILIENNE

Ma grand-mère paternelle préparait cette salade pour notre plus grand bonheur.
Cette recette illustre bien la simplicité de la cuisine italienne.

6 PORTIONS
1 oignon rouge moyen
+ 4 oranges pelées à vif (p. 170)
+ Filet d'huile d'olive
+ Olives noires (facultatif)
+ Sel et poivre du moulin

Peler et couper l'oignon en fines tranches. Faire tremper dans l'eau froide 10 min. Égoutter et éponger.

…

Couper les oranges en tranches de 0,5 cm (1/4 po).

…

Mettre les tranches d'orange dans une assiette de service. Disposer les tranches d'oignon. Verser un filet d'huile, saler et poivrer.

AU SERVICE
Garnir d'olives si désiré.
Servir bien frais.

SUGGESTION
Au fenouil : Ajouter de fines tranches de fenouil.

SALADE D'ASPERGES AUX ŒUFS MOLLETS

À faire et à refaire durant la saison des asperges.
En entrée ou pour le lunch, avec un pain bien croûté, c'est généreux et exquis.

4 PORTIONS

4 tranches minces de pancetta
ou bacon (facultatif)
+ 16 asperges moyennes parées (p. 170)
+ 1 c. à soupe de vinaigre balsamique
  ou vinaigre de vin rouge
+ 3 c. à soupe d'huile d'olive
+ 4 gros œufs à la température ambiante
+ Copeaux de parmesan, grana padano
  ou cheddar
+ Sel et poivre du moulin

Préchauffer le four à 180 °C (350 °F).
…
Déposer les tranches de pancetta
sur une plaque à cuisson. Cuire au
four environ 10 min. Réserver.
…
Dans une casserole d'eau bouillante
salée, cuire les asperges de 2 à 3 min
ou jusqu'à ce qu'elles soient encore
croquantes. Les plonger aussitôt
dans l'eau glacée afin d'arrêter la
cuisson. Égoutter et réserver.
…
Dans un grand bol, fouetter le
vinaigre, le sel et le poivre.
Incorporer l'huile.
…
Couper les asperges en morceaux
et les mélanger à la vinaigrette.
…
Dans une petite casserole remplie
d'eau bouillante, cuire les œufs
mollets* 4 min. Rafraîchir pour
arrêter la cuisson. Écaler.
…
Servir une portion de salade d'asperges dans chacune des assiettes, y
disposer un œuf puis parsemer de
copeaux de parmesan. Poivrer et
garnir d'une tranche de pancetta.

* Si vous maîtrisez la cuisson des œufs pochés,
ce sera aussi délicieux.

SUGGESTIONS

Les asperges peuvent aussi être
rôties (p. 170).
…
Remplacer les asperges par des
haricots verts fins.

LA MOZZARELLA

Quand on a la chance d'avoir une bonne mozzarella di bufala, fraîche du jour, on n'y ajoute rien,
sauf peut-être un filet d'huile. C'est avec la salade caprese (tomates et basilic) qu'on a connu la
mozzarella. Cette préparation toute simple peut être transformée à l'infini avec
la variété de tomates offertes maintenant, de toutes les couleurs, pleines de saveurs.
Un filet d'huile, une herbe différente et c'est fait. ⋯ Pour profiter pleinement de la mozzarella,
les Italiens conseillent de la laisser à la température ambiante avant de la manger.
Ou encore de la tremper quelques minutes dans de l'eau chaude pour lui redonner son moelleux.

––––––––

SALADE DE POIVRONS RÔTIS ET SALSA VERDE

Une palette de couleurs et de saveurs dans votre assiette. S'il vous reste de la salsa verde,
utilisez-la sur les pâtes, avec le poisson, la viande grillée ou des légumes.

4 PORTIONS

2 tranches de pain rassis, sans croûte,
en cubes*
+ 1 c. à soupe de vinaigre de vin
  ou jus de citron
+ 500 ml (2 tasses) d'herbes fraîches
  (persil italien, basilic, menthe
  ou roquette)
+ 1 c. à soupe de câpres rincées,
  égouttées
+ 2 gousses d'ail confites
  ou une pointe d'ail haché finement
+ 4 filets d'anchois rincés, épongés
  (facultatif)
+ Environ 125 ml (1/2 tasse) d'huile
  d'olive
+ 2 poivrons rouges, jaunes ou orange
  rôtis et pelés (p. 176)
+ 1 mozzarella di bufala
  ou 4 bocconcini en tranches
+ Quelques olives noires
+ Sel et poivre du moulin

* Le pain n'est pas indispensable, mais il donne
du corps à la sauce.

Mettre le pain et le vinaigre dans
le bol du robot culinaire et laisser
reposer 2 min.

⋯

Ajouter les herbes, les câpres, l'ail
et l'anchois si désiré. Actionner
l'appareil par touches successives
jusqu'à ce que le tout soit bien
haché. Actionner de nouveau
l'appareil par touches successives
en versant l'huile jusqu'à l'obtention d'une consistance onctueuse
mais pas trop lisse, pour conserver
une certaine texture. Vérifier
l'assaisonnement de la salsa verde
et réserver.

⋯

Couper les poivrons en quartiers
et disposer dans une assiette.
Garnir de fromage, d'olives et d'une
bonne cuillerée de salsa verde.
Poivrer si désiré.

NOTE

La salsa verde peut se faire au
couteau de chef ou à la mezzaluna,
en omettant cependant le pain.
La préparer quelques heures à
l'avance. Elle se conserve quelques
jours au réfrigérateur.

CARPACCIO DU MARCHÉ

Carpaccio, un terme qu'on applique dorénavant aux légumes, aux fruits
et aux poissons crus finement tranchés. Cette salade fraîche et craquante est tout à fait indiquée
avant une pâte. Tout son intérêt vient de la minceur des tranches de légumes.
C'est l'occasion d'utiliser votre bonne huile d'olive et vos sels fins.

4 PORTIONS

1 bulbe de fenouil coupé en 2
sur la longueur (p. 173)

+ 1 branche de céleri

+ 6 radis

+ 2 petits concombres

+ 10 olives noires dénoyautées,
   hachées finement

+ 60 ml (1/4 tasse) d'huile d'olive
   ou huile d'olive au citron

+ Jus de 1 citron

+ Copeaux de pecorino romano
   ou de parmesan

+ Sel et poivre du moulin

Couper tous les légumes en
tranches très minces. Utiliser une
mandoline* pour les couper. Le
céleri se tranche en diagonale.

…

Dans un plat de service ou dans des
assiettes individuelles, disposer
les légumes de façon harmonieuse.

…

Dans un petit bol, mélanger les
olives, l'huile et le jus de citron.

…

Répartir cette vinaigrette sur les
légumes. Saler et poivrer. Arroser
d'un filet d'huile et garnir avec les
copeaux de fromage.

* La mandoline est un ustensile qu'il faut
manipuler avec précaution, en utilisant un
chariot pour ne pas vous couper.

SUGGESTION

Servir accompagné de tranches
de prosciutto, de soppressata ou
de saucisson.

PORTOBELLO EN CROÛTE DE PARMESAN

Une recette qui nous a été proposée durant le tournage au marché de Modène par la signora Maria, qui y tenait un impressionnant étal de champignons. Le double enrobage de parmesan emprisonne la saveur du champignon.

4 PORTIONS

2 gros champignons portobello ou 4 petits

+ 60 ml (1/4 tasse) de farine

+ 1 gros œuf

+ 125 ml (1/2 tasse) de parmesan râpé

+ 125 ml (1/2 tasse) de chapelure

+ 5 à 6 c. à soupe d'huile d'olive

+ Jus de 1/2 citron

+ 1,5 l (6 tasses) de roquette, cresson, jeunes épinards, radicchio ou un mélange de laitues

+ Sel et poivre du moulin

+ Garnitures, au choix : fines herbes ciselées, quartiers de citron, pignons ou autres noix rôties

Préchauffer le four à 180 °C (350 °F).

…

Nettoyer les champignons avec une brosse ou du papier absorbant. Couper le pied des champignons. À l'aide d'un couteau aiguisé, tailler une fine tranche dans la partie bombée du champignon pour obtenir une surface lisse.

…

Dans une assiette, saler et poivrer la farine. Dans un petit bol, battre l'œuf à la fourchette et saler. Dans une autre assiette, mélanger le parmesan et la chapelure.

…

Fariner les champignons en prenant soin d'enlever l'excédent de farine. Tremper les champignons dans l'œuf et égoutter légèrement. Couvrir les champignons de la chapelure en pressant légèrement pour bien les enrober. Tremper de nouveau les champignons dans l'œuf puis dans la chapelure.

…

Dans une poêle antiadhésive allant au four*, chauffer environ 2 c. à soupe d'huile à feu moyen et faire dorer les escalopes de chaque côté, n'hésitez pas à ajouter de l'huile au besoin. Poursuivre la cuisson au four environ 15 min.

…

Dans un petit bol, fouetter le jus de citron et le reste de l'huile. Mélanger à la verdure, saler et poivrer. Vérifier l'assaisonnement.

* Couvrir la poignée de papier d'aluminium.

AU SERVICE

Répartir la salade dans les assiettes individuelles. Trancher les champignons et les disposer au centre de la salade. Servir aussitôt.

NOTE

Les champignons peuvent être cuits à l'avance et réchauffés au four quelques minutes avant le service.

SUGGESTIONS

Ajouter un peu d'huile de noix ou de pignons à l'huile d'olive.

…

Remplacer le jus de citron par du vinaigre balsamique ou un autre vinaigre.

LES SOUPES

Que l'on mette sur la table une *minestra in brodo*, c'est-à-dire un bon bouillon agrémenté de petites pâtes ou de légumes ou une copieuse *zuppa* versée sur un morceau de pain dans le bol, pour moi, soupe est toujours synonyme de réconfort.

————————

TORTELLINI IN BRODO

Un bon bouillon bien relevé, des tortellini goûteux... et voilà ! On peut y ajouter des légumes ou une poignée de fines herbes. Un véritable baume.

4 PORTIONS

225 à 360 g (8 à 12 oz) de tortellini frais ou surgelés
+ 1,5 l (6 tasses) de bon bouillon de poulet maison (p. 172) ou en conserve
+ Jeunes épinards, persil italien haché ou feuilles de cresson
+ Parmesan râpé
+ Sel et poivre du moulin

Dans une grande casserole, cuire les tortellini dans de l'eau bouillante salée jusqu'à ce qu'ils soient *al dente*. Égoutter.
...

Verser le bouillon dans la casserole, ajouter les tortellini et les épinards, porter à ébullition et réchauffer 1 min pour que les épinards soient juste tombés. Vérifier l'assaisonnement.
...

Au service, saupoudrer de parmesan.

BOUILLON TOMATÉ ET TORTELLINI

4 PORTIONS

225 à 360 g (8 à 12 oz) de tortellini frais ou surgelés
+ 1 c. à soupe d'huile
+ 1 oignon coupé en 2, émincé finement
+ 1,5 l (6 tasses) de bon bouillon de poulet maison (p. 172) ou en conserve
+ 2 c. à soupe de pâte de tomates
+ Une bonne pincée de safran (facultatif)
+ Parmesan râpé
+ Sel et poivre du moulin

Dans une grande casserole, cuire les tortellini dans de l'eau bouillante salée jusqu'à ce qu'ils soient *al dente*. Égoutter.
...

Dans une casserole, chauffer l'huile à feu moyen-élevé et faire dorer l'oignon.
...

Verser le bouillon, incorporer la pâte de tomates et le safran si désiré. Ajouter les tortellini et réchauffer. Vérifier l'assaisonnement.
...

Au service, garnir de parmesan.

BOUILLON AUX CÈPES ET TORTELLINI

4 PORTIONS

1,5 l (6 tasses) de bon bouillon de poulet maison (p. 172) ou en conserve
+ 15 g (1/2 oz) de porcini (cèpes) séchés
+ 1 gousse d'ail écrasée
+ 225 à 360 g (8 à 12 oz) de tortellini frais ou surgelés
+ Parmesan râpé
+ Sel et poivre du moulin

Dans une grande casserole, porter à ébullition le bouillon, les porcini et l'ail. Laisser mijoter 15 à 20 min à découvert. Filtrer et réserver le bouillon et hacher les champignons.
...

Pendant ce temps, dans une grande casserole d'eau bouillante salée, cuire les tortellini jusqu'à ce qu'ils soient *al dente*. Égoutter.
...

Ajouter les tortellini et les champignons au bouillon et vérifier l'assaisonnement.
...

Au service, garnir de parmesan.

BRODO CON POLPETTINE

Brodo pour « bouillon » et *polpettine* pour « petites boulettes ». C'est une soupe souvent servie en entrée durant la période des Fêtes. Elle est aussi réconfortante en soupe-repas au lendemain de la fête.

8 PORTIONS EN ENTRÉE
OU 4 PORTIONS EN REPAS

500 g (1 lb) de veau haché

+ 125 ml (1/2 tasse) de chapelure

+ 60 ml (1/4 tasse) de parmesan râpé

+ 60 ml (1/4 tasse) de persil italien haché

+ 2 gros œufs

+ 2 l (8 tasses) de bouillon de poulet

+ 2 petites carottes en fine julienne (facultatif)

+ 2 poignées de jeunes épinards ou de scarole, lavés, essorés, en chiffonnade

+ Parmesan râpé

+ Sel et poivre du moulin

Dans un bol, mélanger le veau, la chapelure, le parmesan, le persil et les œufs. Saler, poivrer et bien mélanger. Cuire une petite quantité de viande, goûter et rectifier l'assaisonnement si nécessaire.

…

Façonner des boulettes d'environ 2,5 cm (1 po) de diamètre, ce qui vous en donnera environ 36.

…

Dans une grande casserole, porter le bouillon à ébullition et ajouter les boulettes. Baisser à feu moyen et mijoter doucement 15 min sans laisser bouillir. Les retirer une fois cuites.

…

Pour obtenir un bouillon clair (ce qui n'est pas obligatoire), le filtrer dans une passoire tapissée de papier absorbant ou de coton à fromage.

…

Ajouter les carottes au bouillon si désiré, et laisser cuire 3 min. Ajouter la verdure et poursuivre la cuisson jusqu'à tendreté des légumes. Remettre les boulettes dans le bouillon et vérifier l'assaisonnement.

…

Servir la soupe très chaude, saupoudrée de parmesan.

SUGGESTION

Avec des petites pâtes : Au service, ajouter des pâtes cuites, comme les stelline (petites étoiles), mini tubetti, peperini, orzo.

SOUPE DE POISSON
AU FENOUIL ET À L'ORANGE

Cette soupe se sert comme plat principal après une entrée de pâtes
ou encore en petites portions avant la pâte. L'intérêt de cette soupe est qu'elle peut se préparer
à l'avance, sans les poissons, et même se congeler. Au moment de servir,
on n'a qu'à y faire pocher doucement les poissons choisis.

6 PORTIONS

3 c. à thé de graines de fenouil écrasées

+ 1 c. à soupe de zeste d'orange râpé

+ 3 c. à soupe d'huile d'olive

+ 1 kg (2 lb) de poisson à chair ferme
   (lotte, flétan, morue, tilapia) en gros
   morceaux

+ 1 gros ou 2 moyens bulbes de fenouil
   coupés en 2, émincés

+ 1 gros oignon coupé en 2, émincé

+ 1 poireau émincé

+ 2 gousses d'ail écrasées

+ 125 ml (1/2 tasse) de vin blanc
   ou Noilly Prat ou vermouth blanc
   (facultatif)

+ 1 boîte de 796 ml (28 oz) de tomates
   italiennes en dés

+ 750 ml (3 tasses) de fumet de poisson,
   jus de palourdes ou bouillon de poulet

+ 2 ou 3 rubans de zeste d'orange

+ 2 pincées de safran

+ Crevettes, pétoncles
   ou autres mollusques (facultatif)

+ Sel et poivre du moulin

Dans un bol, mélanger 1 c. à thé de graines de fenouil, le zeste d'orange et 1 c. à soupe d'huile. Saler et poivrer. Enrober le poisson de cet assaisonnement et réserver au réfrigérateur environ 1 h.

…

Dans une grande casserole, chauffer le reste de l'huile à feu moyen et faire revenir le fenouil, l'oignon et le poireau, en remuant régulièrement. Après 5 min, ajouter l'ail et poursuivre la cuisson 1 min.

…

Ajouter le vin si désiré, les tomates, le fumet, le reste des graines de fenouil, les rubans de zeste d'orange et le safran. Assaisonner. Porter à ébullition, baisser à feu doux et laisser mijoter à mi-couvert 15 min.

…

Ajouter les poissons selon la durée de cuisson de chacun d'eux et laisser pocher quelques minutes jusqu'à ce que la chair devienne opaque et cuite.

…

Servir la soupe bien chaude et garnir selon votre goût.

AU SERVICE

Servir chaque portion de soupe sur une tranche de pain grillée, frottée à l'ail et arroser ensuite la soupe d'un filet d'huile d'olive.

…

Garnir de gremolata (zeste de citron râpé et persil ciselé).

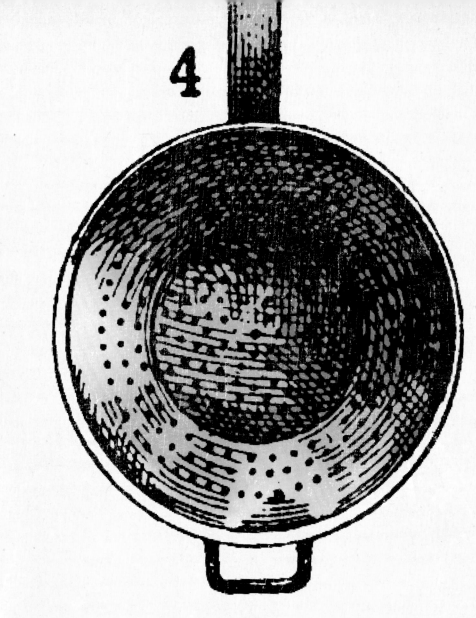

4

3

LA PASTA

LA PASTA, NOUS Y VOICI !

Dans ce chapitre, je vous propose 50 recettes de pâtes et autant de variantes.
Il y en a pour toutes les saisons et pour tous les goûts. Quelle que soit l'occasion,
que vous recherchiez une recette express ou un plat qui mijote longuement,
vous trouverez ce qui convient.

Dans les pages qui suivent quelques règles de base vous aideront à
réussir vos pâtes. Une fois qu'on les a bien assimilées, c'est tellement simple !

LES PÂTES

Choisir des pâtes de semoule de blé dur (*semola di grano duro*). En Italie, les pâtes se mangent souvent en entrée, les portions sont alors de 90 g (3 oz). Les recettes contenues dans ce livre sont toutes proposées avec des pâtes sèches (*pasta secca*) parce qu'on les trouve partout et qu'il est facile d'en avoir en réserve. Libre à vous d'utiliser des pâtes fraîches quand vous en avez envie. Vous pouvez même vous amuser à les faire vous-même avec la recette à la page 174.

LA CUISSON

Les pâtes se cuisent à découvert dans une grande quantité d'eau pour qu'elles cuisent librement. Une casserole préférablement en acier inoxydable d'environ 6 à 7 l (1 1/2 gal) pour quatre personnes conviendra. On sale généreusement l'eau seulement lorsque l'ébullition est prise, car le sel ajouté à une eau froide se dépose au fond de la casserole et peut l'endommager. Pour la quantité, c'est affaire de goût, mais il faut savoir que le sel contribue au goût et que si l'eau n'est pas suffisamment salée, c'est bien difficile de compenser par la suite.

...

Surtout pas d'huile dans l'eau de cuisson (à l'exception des pâtes à lasagne) parce qu'elle empêcherait la sauce d'adhérer à la pâte. On les brasse en début de cuisson et à quelques reprises par la suite pour éviter qu'elles ne s'agglutinent. À quel moment doit-on les mettre à cuire? Uniquement lorsque la sauce est terminée ou presque, à moins que la sauce ne soit ultra-rapide à préparer. Les pâtes n'attendent pas! On attend les pâtes!

LE TEMPS DE CUISSON

Goûter les pâtes quelques instants avant le temps suggéré par le fabricant. La meilleure façon d'apprécier les pâtes, c'est de les manger *al dente*, alors qu'elles offrent une légère résistance sous la dent.

EAU DE CUISSON EN RÉSERVE

Avant d'égoutter, on réserve 125 ml (1/2 tasse) d'eau de cuisson des pâtes, qui servira à détendre la sauce, à la rendre plus onctueuse si nécessaire et qui l'aidera à enrober les pâtes. Mais attention, pas pour les noyer! Si la cuisson des pâtes doit se poursuivre dans la sauce ou dans la soupe, les égoutter avant le temps recommandé sur l'emballage. On doit laisser un peu d'eau sur les pâtes afin qu'elles ne collent pas et pour faciliter la liaison avec la sauce. Surtout ne jamais rincer les pâtes, sauf si on les mange froides en salade.

LA SAUCE

De façon générale, on verse la sauce dans un grand bol de service préalablement réchauffé, puis les pâtes sont ajoutées avant de les mélanger soigneusement pour bien les enrober, pour leur faire boire la sauce. On ne doit pas inonder les pâtes de sauce. Elle seront seulement « colorées ».

AU SERVICE

On utilise le moulin à poivre à la dernière minute pour obtenir une saveur plus franche. Aussi, incorporer quelques noix de beurre pour rendre la sauce plus onctueuse. La bouteille de votre meilleure huile d'olive extra-vierge de première pression devrait être placée sur la table pour que chacun en ajoute un filet à sa guise. Et au dernier moment, garnir d'une poignée d'herbes fraîches ou accompagner le plat d'une petite salade pour la saveur, la couleur et la texture.
...

Déposer le fromage râpé (parmesan, grana padano, pecorino romano – voir lexique, p. 184) sur la table et chacun se sert à son gré. Traditionnellement, en Italie, on ne sert pas de fromage avec les sauces aux fruits de mer, aux poissons ou aux porcini et encore là, je me dis que c'est une question de goût...

ET SURTOUT

N'hésitez pas à vous laisser aller à l'improvisation. Je vous fais des suggestions de pâtes pour chacune des sauces, mais succombez au charme des noms et des formes :
+ stelline (petites étoiles) +
+ farfalle (papillons) +
+ capelli d'angelo (cheveux d'ange) +
+ cappelletti (petits chapeaux) +
+ anellini (anneaux) +
+ fiori (fleurs) +
+ penne (plumes) +
+ lumache (escargots) +
et cetera.

SAUCE TOMATE DE BASE

C'est la base, après on décline selon l'humeur du jour, selon la saison ou tout simplement avec ce que l'on a au frigo. Une sauce qu'on apprécie avoir au congélateur. Hors saison, plutôt que d'utiliser des tomates à la chair fade, mieux vaut ouvrir une boîte de tomates italiennes.

POUR 4 PORTIONS DE PÂTES

3 c. à soupe d'huile d'olive

+ 1 ou 2 gousses d'ail hachées

+ 1 boîte de 796 ml (28 oz) de tomates italiennes en dés ou entières hachées

+ Sucre (facultatif)

+ 60 ml (1/4 tasse) de persil italien haché

+ 125 ml (1/2 tasse) de basilic haché

+ Sel et poivre du moulin

Dans une casserole, chauffer l'huile à feu doux et faire infuser l'ail de 3 à 4 min sans le laisser brunir.

···

Ajouter les tomates, le sucre si désiré et le persil. Saler et poivrer.

···

Laisser mijoter à feu moyen-doux, à mi-couvert, 20 min ou jusqu'à la consistance désirée. Le couvercle peut être retiré en fin de cuisson afin d'obtenir une sauce plus concentrée. Ajouter le basilic. Vérifier l'assaisonnement.

···

La sauce tomate peut se congeler dans des récipients hermétiques jusqu'à 6 mois. Au moment de réchauffer, prévoir quelques minutes supplémentaires pour permettre l'évaporation de l'eau de congélation.

SUGGESTIONS

Remplacer le basilic par un bouquet d'herbes fraîches ciselées ou 1 c. à thé de mélange d'épices italiennes ou d'herbes de Provence que l'on ajoutera en début de cuisson.

···

Ajouter du piquant selon votre goût.

SAUCE AUX TOMATES FRAÎCHES

Remplacer les tomates en conserve par une douzaine de tomates italiennes bien mûres et charnues. Émonder, évider et hacher les tomates (p. 179).

···

Procéder comme pour la sauce tomate de base en laissant cuire un peu plus longtemps pour obtenir la consistance désirée.

SAUCE TOMATE ET MOZZARELLA

Les petits et les grands aiment les fils de la mozzarella qui se tendent, s'étirent, s'allongent sans rompre... Essayez cette recette pour votre plus grand plaisir.

POUR 4 PORTIONS DE PÂTES

170 à 225 g (6 à 8 oz) de mozzarella di bufala ou mozzarina

+ Huile d'olive ou huile d'olive parfumée aux herbes
+ Recette de sauce tomate de base
+ 125 ml (1/2 tasse) de parmesan ou pecorino romano râpés
+ Basilic
+ Poivre du moulin

Couper la mozzarella en dés, arroser d'un filet d'huile.

...

Réchauffer la sauce tomate à feu moyen. Ajouter le parmesan et la mozzarella. Laisser chauffer jusqu'à ce que le fromage file.

...

Mélanger aussitôt avec des pâtes cuites.

AU SERVICE

Si désiré, poivrer, garnir de basilic et servir *subito*, cette pâte n'attend pas.

SAUCE TOMATE ET GINGEMBRE

Eh oui, avec du gingembre ! C'est à découvrir.

Recette de sauce tomate de base
+ 2 c. à soupe de gingembre râpé
+ Quelques noix de beurre

Remplacer le basilic de la recette de base par le gingembre et incorporer le beurre.

SUGGESTION

On s'amuse avec les ingrédients pour créer de nouvelles variantes. Puisez dans votre imagination, ouvrez votre garde-manger, allez au marché ou dans votre jardin pour concocter une sauce tomate à l'oignon, au fenouil, au poireau ou variez les aromates en ajoutant du thym, du romarin...

SAUCE AUX TOMATES CRUES

Je vous conseille de célébrer avec excès la saison trop courte des tomates grâce à cette recette.
On trouve sur le marché de plus en plus de variétés de tomates. Vous ne pouvez vous tromper
lorsqu'elles sont charnues et parfumées. La pâte chaude en développera toute leur saveur.

POUR 4 PORTIONS DE PÂTES

1 kg (2 lb) de tomates des champs
ou 12 à 16 tomates italiennes*

+ 1 c. à thé de sel
+ 125 ml (1/2 tasse) d'huile d'olive
+ 125 ml (1/2 tasse) d'herbes ciselées
   au choix (basilic, menthe, ciboulette,
   persil italien)
+ Parmesan râpé
+ Sel et poivre du moulin

* Peut aussi s'apprêter avec des tomates cerises
ou olivettes coupées en quartiers ou choisir des
variétés de tomates de couleurs différentes.

Retirer la peau des tomates (p. 179).
Ce n'est pas nécessaire d'enlever
la peau en saison ou lorsqu'elles
sont bien mûres. Avec ou sans la
peau, évider les tomates et les
couper en dés. Mettre dans une
passoire, ajouter le sel et laisser
dégorger 10 min.

…

Dans un grand bol, déposer les
tomates et l'huile. Laisser reposer
au moins 30 min à la température
ambiante.

…

Ajouter les herbes ou une des
garnitures suggérées ci-contre et
bien mélanger. Vérifier
l'assaisonnement.

…

Au service, mélanger à des
spaghettini ou des pâtes courtes et
saupoudrer de parmesan.

SUGGESTIONS

Avec olives et câpres : Ajouter 180 ml
(3/4 tasse) d'olives vertes ou noires
hachées finement, 2 c. à soupe de
câpres rincées, épongées et hachées,
1 à 2 c. à thé de zeste de citron
ou d'orange. Garnir de parmesan
en copeaux plutôt que râpé.

…

Avec roquette : Ajouter quelques
poignées de roquette en même
temps que les herbes.

…

Au fromage : Ajouter 225 g (8 oz) de
mozzarella fraîche ou de bocconcini
en cubes, sel, poivre et un filet
d'huile d'olive.

…

À l'ail : Chauffer doucement 125 ml
(1/2 tasse) d'huile et laisser infuser
3 ou 4 gousses d'ail coupées en
quatre, 6 à 7 min en prenant soin de
ne pas le laisser brunir. Retirer l'ail,
laisser tiédir l'huile et verser sur les
tomates. En saison, utiliser l'ail
nouveau, haché et cru.

TOMATES MI-CONFITES

Deux méthodes : l'une avec les tomates italiennes de saison, l'autre (un truc de mon ami Jean Fortin) avec des tomates en conserve (p. 64). Ce type de cuisson bonifie la tomate en concentrant les sucs. Je vous propose recettes de base et variantes. À vous d'en inventer d'autres !

POUR 4 PORTIONS DE PÂTES

1,5 kg (3 lb) de tomates italiennes
+ 4 à 8 gousses d'ail en chemise
+ 3 à 4 c. à soupe d'huile d'olive
+ Sel

Préchauffer le four à 150 °C (300 °F).

...

Émonder les tomates et les épépiner (p. 179).

...

Déposer les tomates et l'ail sur une plaque à cuisson antiadhésive ou tapissée de papier parchemin. Les enrober d'huile et saler. Placer les tomates face coupée sur la plaque.

...

Cuire au four de 1 h 30 à 2 h ou jusqu'à ce que le dessous des tomates soit légèrement caramélisé.

...

Extraire les gousses d'ail de leur membrane et les ajouter aux tomates. Récupérer le jus de cuisson au fond de la plaque et l'ajouter aux tomates. Saler, poivrer et mélanger.

...

Ajouter l'une des garnitures suggérées ci-dessous et à la p. 64.

NOTES

On peut ajouter un peu de sucre si les tomates sont très acides.

...

Les tomates mi-confites peuvent se congeler, alors profitez-en, en saison, lorsqu'elles sont si savoureuses. Les réchauffer quelques minutes supplémentaires pour permettre l'évaporation de l'eau de congélation.

TOMATES MI-CONFITES AUX HERBES

Recette de tomates mi-confites
+ Herbes fraîches ciselées, au choix*
+ Un filet d'huile d'olive
+ Sel et poivre du moulin

* Ou origan séché.

Transférer les tomates mi-confites et l'ail dans un grand bol, les écraser à l'aide d'une fourchette. Ajouter les herbes, un filet d'huile et mélanger. Vérifier l'assaisonnement.

TOMATES CONFITES TOUTE SAISON

POUR 4 À 6 PORTIONS DE PÂTES

2 boîtes de 796 ml (28 oz) de tomates italiennes entières, égouttées

+ Branches de romarin ou de thym ou 1 c. à thé d'épices italiennes ou d'herbes de Provence

+ 5 gousses d'ail coupées en 2

+ 250 ml (1 tasse) d'huile d'olive

+ Sel

Préchauffer le four à 105 °C (225 °F).

…

Couper les tomates en deux sur la longueur et épépiner.

…

Disposer le romarin et l'ail dans un plat allant au four de 23 x 33 cm (9 x 13 po).

…

Déposer les demi-tomates côté coupé sur le romarin. Verser l'huile en un long filet en arrosant légèrement chaque tomate. Saler.

…

Faire confire au four pendant 2 h, en les arrosant avec l'huile à quelques reprises durant la cuisson.

…

Transférer les tomates et l'ail dans un grand bol et retirer le romarin. Écraser les tomates et l'ail avec une fourchette et ajouter une partie de l'huile de cuisson, au goût. Réserver le reste de l'huile pour parfumer une autre préparation.

AU SERVICE

Servir la sauce sur des pâtes et garnir de copeaux de parmesan ou de pecorino romano.

TOMATES MI-CONFITES À LA PUTTANESCA

Recette de tomates mi-confites

+ 2 c. à soupe de câpres rincées, égouttées, hachées

+ 80 à 125 ml (1/3 à 1/2 tasse) d'olives noires hachées

+ 80 ml (1/3 tasse) de persil ou basilic ciselés

+ 4 filets d'anchois en purée ou écrasés ou 1 c. à soupe de pâte d'anchois (facultatif)

+ Sel et poivre du moulin

Transférer les tomates mi-confites et l'ail dans un grand bol, les écraser à l'aide d'une fourchette. Ajouter les câpres, les olives, le persil, les anchois si désiré et mélanger. Vérifier l'assaisonnement.

AU SERVICE

Répartir la sauce sur des pâtes et garnir de parmesan ou de pecorino romano en copeaux.

SAUCE TOMATE ET OIGNONS CARAMÉLISÉS

Toute la douceur et le moelleux de l'oignon caramélisé mariés à une sauce tomate.
Vous risquez fort de l'adopter.

POUR 4 À 5 PORTIONS DE PÂTES

2 c. à soupe de beurre

+ 2 c. à soupe d'huile

+ 2 oignons espagnols ou rouges
  en tranches

+ 1 gousse d'ail écrasée
  ou hachée finement

+ 1 boîte de 796 ml (28 oz) de tomates
  en dés ou entières hachées

+ 1/4 c. à thé de piments broyés, au goût

+ 2 c. à thé de romarin frais
  ou 1/2 c. à thé de romarin séché

+ Pecorino romano ou parmesan
  en copeaux ou râpés

+ Sel et poivre du moulin

Dans une poêle, chauffer le beurre
et l'huile. Faire caraméliser les
oignons, à feu moyen, en remuant
régulièrement environ 20 min.
Retirer le quart des oignons caramé-
lisés et réserver pour la garniture.
…

Poursuivre la cuisson en ajoutant
l'ail, les tomates, le piment et le
romarin. Saler, poivrer et laisser
mijoter à découvert environ 20 min.

AU SERVICE

Servir les pâtes enrobées de la sauce
aux oignons et garnir avec l'oignon
réservé et du pecorino romano ou
du parmesan en copeaux ou râpés.

SUGGESTION

Avec aubergines : Mélanger la sauce
à des penne ou autres pâtes courtes
et servir sur un lit d'aubergines
rôties (p. 172).

PASTA AUX TOMATES CERISES ET AUX HERBES

La précision d'une flamme et la chaleur instantanée d'une cuisinière à gaz naturel gardent et même bonifient toute la saveur des tomates de cette pâte minute. Un mode de cuisson à la fois simple et raffiné, comme la cuisine italienne.

4 PORTIONS

2 barquettes de 285 g (10 oz) de tomates cerises ou olivettes

+ 60 ml (1/4 tasse) d'huile d'olive
+ 2 gousses d'ail coupées en 2
+ 1/4 à 1/2 c. à thé de piments broyés (facultatif)
+ 250 ml (1 tasse) de persil italien haché
+ 125 ml (1/2 tasse) de menthe ou basilic hachés
+ 500 g (1 lb) de spaghettini ou autres pâtes
+ Parmesan ou grana padano râpés ou en copeaux
+ Sel et poivre du moulin

Couper les tomates en deux et les presser légèrement afin d'en extraire l'eau de végétation. Réserver.

…

Dans une grande poêle, chauffer l'huile à feu doux et faire infuser l'ail de 4 à 5 min sans le laisser brunir.

…

Ajouter les tomates, et le piment si désiré. Saler et chauffer à feu moyen-doux 4 à 5 min. Retirer l'ail, ajouter le persil et la menthe.

…

Pendant ce temps, dans une grande casserole, cuire les pâtes dans de l'eau bouillante salée en suivant les indications du fabricant. Égoutter en réservant un peu d'eau de cuisson.

…

Dans la casserole, mélanger les pâtes et les tomates, en ajoutant un peu d'eau de cuisson, au besoin, afin de bien enrober les pâtes. Vérifier l'assaisonnement.

…

Au service, saupoudrer de parmesan.

SUGGESTIONS

À la roquette : Remplacer la menthe par 500 ml (2 tasses) de roquette hachée.

…

Aux olives : Ajouter des olives vertes ou noires dénoyautées et coupées en quatre.

…

Aux échalotes : Remplacer l'ail par 125 ml (1/2 tasse) d'échalotes françaises hachées.

PENNE ALL'ARRABBIATA

Cette pâte sera plus ou moins « en colère » selon l'humeur du chef. En saison, utilisez de petits piments frais, mais méfiez-vous, car chaque piment a sa force et un arôme distinct. Pour calmer ses ardeurs, incorporez de la ricotta. Cette sauce se prépare en moins de dix minutes.

4 À 5 PORTIONS

80 ml (1/3 tasse) d'huile d'olive

+ 4 filets d'anchois rincés,
  épongés, hachés

+ 1/2 c. à thé de piments broyés

+ 2 à 4 gousses d'ail hachées finement

+ 1 boîte de 398 ml (14 oz) de tomates
  en dés ou entières hachées

+ 1 c. à soupe de pâte de tomates

+ 500 g (1 lb) de penne ou autres
  pâtes courtes

+ 125 ml (1/2 tasse) de persil italien haché

+ Parmesan râpé

+ Sel et poivre du moulin

Dans une poêle, chauffer l'huile à feu moyen-doux. Ajouter les anchois, le piment, l'ail et faire infuser environ 30 s, en prenant soin de ne pas laisser l'ail brunir.

…

Ajouter les tomates, la pâte de tomates, le persil et bien mélanger.

…

Assaisonner sans trop saler, à cause des anchois. Laisser mijoter, à feu doux, 5 min.

…

Dans une grande casserole, cuire les pâtes dans de l'eau bouillante salée en suivant les indications du fabricant. Égoutter les pâtes.

…

Dans un bol de service préalablement réchauffé, mélanger la sauce et un peu de parmesan. Ajouter les pâtes bien chaudes et mélanger.

AU SERVICE

Saupoudrer de parmesan.

SUGGESTIONS

Aux crevettes : Faire sauter des crevettes dans un peu d'huile, assaisonner et servir sur les pâtes.

…

Avec ricotta : Ajouter une bonne cuillerée de ricotta, un filet d'huile d'olive et bien mélanger.

TOMATES EN CONSERVE D'ELENA

Quand les tomates italiennes sont à leur meilleur et en abondance au marché Jean-Talon, vous êtes sûr d'y rencontrer Elena Faita, qui vous propose de prolonger l'été en préparant des conserves. Tout est dans le choix des bonnes tomates italiennes mûres et bien en chair. Assurez-vous de suivre scrupuleusement les mesures d'hygiène de la mise en conserve. La congélation est aussi une excellente façon d'en avoir en réserve. Dans ce cas, il faut laisser cuire un peu plus longtemps pour éliminer l'eau.

QUAND, LESQUELLES ET COMBIEN ?

La saison des tomates débute mi-août. Les tomates italiennes Romanello, San Marzano ou Roma donnent le meilleur résultat. Un panier de tomates de 10 kg fournit 20 bocaux de conservation de 500 ml (2 tasses). Avant de transformer les tomates, les laisser mûrir de 2 à 4 jours en les étalant sur un drap. Il faut aussi deux beaux bouquets de basilic.

…

Émonder et épépiner les tomates (p. 179).

…

Laver parfaitement les bocaux et les remplir des demi-tomates. Mettre 2 ou 3 feuilles de basilic. Presser sur les tomates avec une fourchette avant d'en ajouter d'autres pour qu'elles soient bien tassées et qu'il ne se forme pas de bulle d'air entre elles. L'espace entre les tomates et le couvercle doit être d'environ 2,5 cm (1 po).

…

Avant de fermer le couvercle, essuyer le contour du bocal. Il est très important de visser le couvercle sans le serrer.

…

Placer dans une grande casserole en entrelaçant les bocaux d'un linge à vaisselle pour éviter que ceux-ci ne s'entrechoquent. Les couvrir d'eau.

…

Pour la stérilisation, porter à ébullition et laisser mijoter de 15 à 20 min.

…

Retirer du feu et laisser refroidir les bocaux jusqu'à ce que l'eau tiédisse.

…

Sortir les bocaux, les essuyer et serrer les couvercles pour qu'ils soient bien hermétiques.

…

L'eau des tomates s'accumule d'abord dans le fond des bocaux, mais après 2 ou 3 jours, le volume des tomates se déplace et l'eau se concentre au-dessus. Cette eau de végétation est utile au moment de les apprêter.

…

Placer les bocaux dans un endroit frais sans être au réfrigérateur.

NOTE IMPORTANTE

Après la stérilisation, il faut absolument que les couvercles soient bien scellés. Pour s'assurer que les tomates seront conservées sous vide, exercer une légère pression sur les couvercles, ceux-ci ne doivent pas bouger. Si quelques bocaux ne sont pas scellés sous vide, les conserver au réfrigérateur.

PESTO

Le pesto, c'est l'art d'emprisonner la fraîcheur et la saveur des bons aliments.
En italien, *pestare* veut dire « piler, écraser », d'où l'appellation pesto. Celui au basilic,
traditionnellement fait au mortier, serait une des plus anciennes sauces italiennes.
Comme vous avez déjà votre recette préférée, je vous en propose d'autres. Il y en a pour
tous les goûts. UTILISATION Il relève une pâte, un poisson, une viande grillée,
une soupe, il accompagne les crudités, les crostini, et j'en passe. On l'ajoute seulement au service
pour lui garder toute sa saveur. CONSERVATION Couvert d'une fine couche d'huile, dans un
contenant hermétique pendant quelques jours au réfrigérateur. Le pesto de tomates séchées,
cependant, reste frais plus longtemps. Toutes les préparations, à l'exception
de celles à base de rapini ou de roquette, se congèlent dans de petits contenants ou en portions
individuelles dans des bacs à glaçons. Une fois figé, on peut mettre le pesto dans des sacs
de congélation. Il est préférable de le dégeler au réfrigérateur. C'est une très bonne idée d'avoir
du pesto en réserve, et c'en est encore une meilleure que de se rappeler de l'utiliser.

PESTO DE NOIX DE GRENOBLE

Un bon pesto que vous utiliserez dans la recette de pâtes servies avec une poêlée
de champignons (p. 80) et les pâtes à la courge rôtie (p. 118).

310 ML (1 1/4 TASSE)

250 ml (1 tasse) de noix de Grenoble
rôties 5 min, tiédies

+ 250 ml (1 tasse) de persil italien

+ 1 pointe d'ail haché ou 3 à 4 gousses
  d'ail confites (p. 170)

+ Une pincée de piments broyés

+ 125 ml (1/2 tasse) de parmesan râpé

+ Environ 125 ml (1/2 tasse) d'huile
  d'olive

+ Sel et poivre du moulin

Hacher grossièrement au robot
culinaire les noix et le persil.
Ajouter l'ail, le piment, le parmesan,
le sel et le poivre. Actionner l'appareil par touches successives, en
ajoutant l'huile graduellement
jusqu'à l'obtention d'une consistance
homogène, sans être trop lisse,
car on veut conserver la texture.

SUGGESTIONS

Ajouter à une salade de poulet
ou d'endives et betteraves.

…

Mélanger à du fromage de chèvre
frais pour en tartiner du pain.

PESTO DE TOMATES SÉCHÉES

La tomate séchée, une fois hachée, s'utilise plus facilement.
Ce pesto s'adapte à toutes les saisons et à toutes les occasions : à l'apéro, seul ou mélangé
à d'autres tartinades, dans les pâtes chaudes ou froides, pour rehausser une sauce tomate,
une soupe, un sandwich et certains ragoûts. C'est aussi un délicieux cadeau qui s'offre bien.
Après plusieurs essais, j'ai adopté une recette très simple qui conserve aux tomates
toute leur saveur. Amusez-vous en choisissant une des variantes proposées.

180 ML (3/4 TASSE)
250 ml (1 tasse) de tomates séchées dans l'huile (p. 179)
+ 125 ml (1/2 tasse) de feuilles de basilic
+ Environ 80 ml (1/3 tasse) d'huile d'olive ou l'huile des tomates séchées
+ Sel et poivre du moulin

Égoutter les tomates. Si l'huile des tomates séchées est de bonne qualité, l'utiliser pour la préparation du pesto.

...

Hacher au robot culinaire les tomates et le basilic. Si désiré, ajouter les ingrédients d'une des suggestions faites ci-contre. Actionner l'appareil par touches successives, en ajoutant l'huile graduellement jusqu'à l'obtention d'une consistance homogène, sans être trop lisse, car on veut conserver de la texture et sentir les morceaux de tomates sous la dent. Saler et poivrer.

NOTE
Les tomates peuvent aussi être hachées finement au couteau ou à la mezzaluna.

SUGGESTIONS
Avec fromage et noix : Ajouter 60 ml (1/4 tasse) de parmesan ou de pecorino romano râpés et 60 ml (1/4 tasse) de pignons ou d'amandes en bâtonnets légèrement rôtis (p. 173).

...

À l'ail : Ajouter une pointe d'ail haché ou 3 à 4 gousses d'ail confites (p. 170).

...

Au piment : Ajouter une touche de piment – pâte de piment, piments broyés ou autres.

...

Aux olives : Ajouter 80 ml (1/3 tasse) d'olives noires dénoyautées.

PESTO DE PISTACHES ET ROQUETTE

Ce pesto très onctueux et débordant de saveur saura rallier
tous les fanas de roquette, dont je suis !

375 ML (1 1/2 TASSE)

250 ml (1 tasse) de pistaches rôties
(p. 173) 4 à 5 min
+ 1 l (4 tasses) de roquette sans les tiges
+ Ail haché, au goût
+ 125 ml (1/2 tasse) de parmesan râpé
  ou parmesan et romano en parts égales
+ Environ 125 ml (1/2 tasse) d'huile
+ Sel et poivre du moulin

Hacher grossièrement au robot
culinaire les pistaches, la roquette,
l'ail et le parmesan. Saler et poivrer.
Actionner l'appareil par touches
successives, en ajoutant l'huile
graduellement jusqu'à l'obtention
d'une consistance homogène, sans
être trop lisse, car on veut conserver
de la texture.

AU SERVICE

Tartiner des crostini et garnir
de mozzarella et de bocconcini.

…

Manger simplement avec des
tomates.

…

Ajouter à des pâtes en liant le pesto
avec un peu d'eau de cuisson des
pâtes ou du mascarpone.

SUGGESTION

Aux pignons : Remplacer les
pistaches par des pignons.

PESTO DE SAUGE

Un pesto inusité, mais qui trouve parfaitement sa place avec les pâtes farcies, la volaille, les potages,
et pour lequel vous découvrirez d'autres utilisations.

310 ML (1 1/4 TASSE)

1 gousse d'ail hachée ou 3 gousses
d'ail confites (p. 170)
+ 250 ml (1 tasse) de noix de Grenoble
  rôties (p. 173)
+ 125 ml (1/2 tasse) de persil italien
  haché
+ 5 à 6 c. à soupe de sauge fraîche
+ Environ 125 ml (1/2 tasse)
  d'huile d'olive
+ 125 ml (1/2 tasse) de parmesan râpé
+ Sel

Hacher grossièrement au robot
culinaire l'ail, les noix de Grenoble,
le persil et la sauge. Saler et
actionner l'appareil par touches
successives, en ajoutant l'huile
graduellement jusqu'à l'obtention
d'une consistance homogène, sans
être trop lisse.

…

Ajouter le fromage et actionner de
nouveau l'appareil. Mélanger juste
ce qu'il faut pour que le fromage soit
incorporé.

AU SERVICE

Combiner avec des ravioli
ou des tortellini.

…

Garnir une soupe de légumes
ou un potage à la courge.

…

Servir tout simplement sur
des légumes.

PESTO DE RAPINI

C'est une recette de Marie-Fleur Saint-Pierre, chef au restaurant Tapéo, qui le sert en garniture avec un poisson. J'en ai fait une adaptation pour les pâtes. L'amertume du rapini est adoucie par les noix. Vous pouvez le servir tel quel ou l'allonger avec quelques cuillerées de mascarpone.

500 ML (2 TASSES)

1 botte de rapini, tiges
et bouquets séparés

+ 1 à 2 gousses d'ail hachées
  ou 4 à 5 gousses d'ail confites (p. 170)
+ 125 ml (1/2 tasse) de pacanes
  légèrement rôties
+ Piments broyés
+ Environ 125 ml (1/2 tasse) d'huile
  d'olive
+ Sel et poivre du moulin

Dans une grande casserole remplie d'eau bouillante salée, plonger les tiges environ 45 s et ajouter les bouquets pendant 20 s de plus. Bien essorer en pressant et hacher grossièrement.

...

Hacher au robot culinaire le rapini, l'ail, les pacanes et les piments si désiré. Saler et poivrer. Actionner de nouveau l'appareil par touches successives, en ajoutant l'huile graduellement jusqu'à l'obtention d'une consistance homogène, sans être trop lisse, car on veut conserver de la texture.

AU SERVICE

Combiner à des ravioli, des tortellini ou des pâtes courtes. Garnir de parmesan en copeaux et si désiré de pacanes rôties.

SUGGESTION

Avec citron ou anchois : Ajouter du zeste de citron ou de l'anchois écrasé.

PÂTES AUX NOIX
ET POÊLÉE DE CHAMPIGNONS

Pour ceux qui préfèrent les sauces sans crème. Avec un pesto de noix en réserve, il n'y a plus qu'à faire sauter les champignons. Et toutes les variétés de champignons s'y prêtent.

4 À 5 PORTIONS

3 c. à soupe d'huile d'olive

+ 500 g (1 lb) de champignons émincés (portobello, champignons café, pleurotes, shiitake)

+ Une pointe de piments broyés, au goût

+ 500 g (1 lb) de pâtes, au choix

+ Pesto de noix de Grenoble* (p. 74)

+ Sel et poivre du moulin

* Prévoir une généreuse cuillérée de pesto par personne.

Dans une grande poêle, chauffer 2 c. à soupe d'huile à feu moyen-élevé et ajouter la moitié des champignons. Saler et, si désiré, ajouter un peu de piments broyés. Laisser colorer quelques minutes, en prenant soin d'ajouter un peu d'huile d'olive, au besoin. Lorsque les champignons sont bien colorés des deux côtés, les retirer de la poêle et répéter avec les autres champignons. Réserver au chaud.

...

Dans une grande casserole, cuire les pâtes dans de l'eau bouillante salée en suivant les indications du fabricant. Les égoutter en prenant soin de réserver 125 ml (1/2 tasse) d'eau de cuisson.

...

Mélanger les pâtes, le pesto et une partie de l'eau de cuisson réservée afin de bien enrober les pâtes.

...

Servir les pâtes dans chaque assiette et y déposer les champignons poêlés.

SUGGESTIONS

Remplacer les champignons par une poêlée de courge musquée ou de courgettes.

...

Garnir d'une salade de tomates olivettes aromatisée au zeste de citron et à l'huile d'olive.

GEMELLI AUX COURGETTES ET À LA FETA

En Italie, on associe souvent la courgette avec la ricotta salata.
Comme elle peut être difficile à trouver, alors je propose de la remplacer par de la feta.
Le pesto de menthe utilisé dans cette recette lie bien le tout.

4 PORTIONS

2 c. à soupe d'huile d'olive

+ 2 ou 3 gousses d'ail coupées en 2

+ 5 petites courgettes*

+ 500 g (1 lb) de gemelli ou autres pâtes

+ 170 g (6 oz) de feta
  ou ricotta salata émiettées

+ Pesto de menthe (ci-dessous)

+ Une poignée de pignons rôtis (p. 173)

+ Sel et poivre du moulin

* Choisir des courgettes dont le diamètre n'est pas trop gros, pour éviter qu'elles ne dégagent trop d'eau de végétation dans la sauce.

Dans une grande poêle, chauffer l'huile à feu doux et faire infuser l'ail 4 à 5 min sans le laisser brunir. Retirer l'ail.

…

Couper les courgettes en quatre sur le sens de la longueur, puis tailler des tranches de 1,5 cm (1/2 po) d'épaisseur.

…

Ajouter les courgettes dans la poêle, saler, puis faire revenir, à feu moyen, environ 5 min ou jusqu'à ce qu'elles soient légèrement dorées mais encore croquantes. Ajouter de l'huile au besoin.

…

Dans une grande casserole, cuire les pâtes dans de l'eau bouillante salée en suivant les indications du fabricant. Les égoutter en réservant un peu d'eau de cuisson.

…

Dans un grand bol de service, mélanger les pâtes, la feta, le pesto. Ajouter les courgettes et bien mélanger, en ajoutant un peu d'eau de cuisson au besoin. Vérifier l'assaisonnement.

…

Au service, garnir de pignons et poivrer.

PESTO DE MENTHE

160 ML (2/3 TASSE)

180 ml (3/4 tasse) de feuilles de menthe bien tassées

+ 2 c. à soupe de feta ou ricotta salata

+ 1/2 c. à thé de piments broyés
  (facultatif)

+ Zeste de 1 citron râpé

+ Jus de 1 citron

+ Environ 80 ml (1/3 tasse) d'huile d'olive

+ Sel et poivre du moulin

Hacher grossièrement au robot culinaire la menthe, la feta, le piment, le zeste et le jus de citron. Actionner l'appareil par touches successives, en ajoutant l'huile graduellement jusqu'à l'obtention d'une consistance homogène, sans être trop lisse, car on veut conserver de la texture.

NOTE

La ricotta salata est ferme et plus salée que la ricotta fraîche. Si vous en trouvez, cela vaut la peine de l'essayer.

SPAGHETTI AU THON ET AUX TOMATES SÉCHÉES

C'est une pâte que l'on fait régulièrement dans ma famille les soirs de semaine.
La saveur du thon, plus goûteux parce qu'il a été conservé dans l'huile,
le « zing » du citron, la fraîcheur de la roquette ou du basilic en font un plat rassembleur.

2 PORTIONS

4 c. à soupe de pesto de tomates séchées* maison (p. 76) ou commercial

+ Zeste de 1 citron râpé finement

+ Jus de 1/2 citron

+ Un filet d'huile d'olive

+ 15 à 20 olives noires dénoyautées, hachées

+ 200 g (7 oz) de pâtes longues ou courtes

+ 1 boîte de 198 g (7 oz) de thon à l'huile, égoutté, émietté

+ Persil italien, roquette ou basilic ciselés, au goût

+ Sel et poivre du moulin

* Si vous n'avez pas de pesto, hacher finement des tomates séchées dans l'huile.

<u>Dans un bol</u>, mélanger le pesto, le zeste et le jus de citron, l'huile et les olives.

...

<u>Dans une grande casserole</u>, cuire les pâtes dans de l'eau bouillante salée en suivant les indications du fabricant. Les égoutter en prenant soin de réserver 60 ml (1/4 tasse) d'eau de cuisson.

...

<u>Mélanger</u> les pâtes chaudes et la sauce. Ajouter un peu d'eau de cuisson, au besoin, afin de bien enrober les pâtes de la sauce. Saler et poivrer.

...

<u>Ajouter</u> le thon et mélanger délicatement.

...

<u>Au service</u>, garnir de persil ou autres verdures.

PÂTES FARCIES

La pâte peut être façonnée en une multitude de formes (agnolotti, tortellini, cappeletti, ravioli…) et farcie selon la fantaisie du chef. Si c'est possible, achetez vos pâtes farcies au fromage, aux légumes ou à la viande, fraîches. Sinon, le comptoir des produits surgelés vous en offre de très bonnes. En garder au congélateur vous permettra d'improviser un délicieux repas en très peu de temps, car les pâtes farcies s'accommodent souvent d'une sauce express. ··· Il ne faut pas cuire les pâtes farcies à grande ébullition, pour éviter de les briser. Sortez-les avec une écumoire ou une petite passoire et déposez-les dans un plat chaud avant de les enrober délicatement de sauce.

— — — — — — — —

RAVIOLI À LA CRÈME ET AU LAURIER

Vive le laurier : une nouvelle vocation pour cet aromate !

4 PORTIONS

1 boîte de 398 ml (14 oz) de consommé de bœuf
+ 250 ml (1 tasse) de crème 35 %
  ou crème champêtre 15 %
+ 6 à 8 feuilles de laurier
+ 500 g (1 lb) de ravioli frais ou surgelés
+ Parmesan râpé
+ Sel et poivre du moulin

Dans une grande casserole, porter à ébullition le consommé, la crème et le laurier. Laisser infuser à feu doux, à découvert, environ 30 min.

···

Dans une grande casserole, cuire les ravioli dans de l'eau bouillante salée jusqu'à ce qu'ils soient encore *al dente*. Retirer à l'aide d'une écumoire et ajouter à la sauce pour en terminer la cuisson. Vérifier l'assaisonnement.

···

Au service, saupoudrer de fromage et poivrer.

SUGGESTIONS

On peut servir les pâtes farcies accommodées de toutes sortes de façons, notamment :
– avec un pesto de basilic, de noix de Grenoble (p. 74), de pistaches et roquette (p. 77) ou de rapini (p. 78)
– avec une sauce aglio e olio (p. 123)
– ou encore avec une des nombreuses sauces tomate de ce livre.

RAVIOLI AU BEURRE DE TOMATES SÉCHÉES

C'est un « hit » à tout coup !
Une assiette appétissante, faite
en un tournemain et généreuse
en goût.

4 PORTIONS

60 ml (1/4 tasse) de beurre

+ Zeste de 1 citron râpé finement

+ 60 ml (1/4 tasse) de pesto de tomates
séchées (p. 76)

+ 500 g (1 lb) de ravioli frais ou surgelés

+ Parmesan ou pecorino romano râpés

+ Sel et poivre du moulin

Dans une grande poêle, faire fondre
le beurre à feu doux. Ajouter le
zeste, le pesto et bien mélanger.
...

Dans une grande casserole, cuire
les ravioli dans de l'eau bouillante
salée en suivant les indications du
fabricant. Les retirer à l'aide d'une
écumoire et les ajouter au beurre
de tomates séchées. Mélanger et
vérifier l'assaisonnement.
...

Au service, saupoudrer de fromage
et poivrer.

RAVIOLI AU BEURRE DE SAUGE

Les grands classiques traversent
le temps sans perdre leur attrait.
Ce plat nous surprend par la
simplicité de ses ingrédients
et de sa préparation. C'est une
de mes sauces préférées avec
les ravioli.

4 PORTIONS

4 c. à soupe de beurre ou beurre et huile
en parts égales

+ 24 feuilles de sauge fraîche

+ 500 g (1 lb) de ravioli frais ou surgelés

+ Parmesan râpé ou en copeaux

+ Sel et poivre du moulin

Dans une poêle, à feu très doux, faire
fondre le beurre et laisser infuser
les feuilles de sauge quelques
minutes pour le parfumer.
...

Dans une grande casserole, cuire les
ravioli dans de l'eau bouillante salée
en suivant les indications du fabricant. Retirer à l'aide d'une écumoire.
Réserver 125 ml (1/2 tasse) d'eau
de cuisson.
...

Ajouter les ravioli à la poêle et
mélanger délicatement en ajoutant,
au besoin, un peu d'eau de cuisson
afin de bien enrober les ravioli.
Vérifier l'assaisonnement et servir
aussitôt.
...

Au service, garnir de parmesan
et poivrer.

RAVIOLI AUX ASPERGES ET AUX PETITS POIS

On fête l'arrivée sur nos
marchés des premiers légumes
du printemps avec une touche
de gingembre ou de piment.

4 PORTIONS

2 c. à soupe d'huile d'olive

+ 60 ml (1/4 tasse) de beurre

+ 250 ml (1 tasse) d'asperges fines
en tronçons

+ 250 ml (1 tasse) de petits pois dégelés
ou frais

+ 1 c. à soupe de gingembre râpé
ou piments broyés, au goût

+ 500 g (1 lb) de ravioli frais ou surgelés

+ Parmesan en copeaux ou râpé

+ Sel et poivre du moulin

Dans une poêle, chauffer l'huile
et le beurre à feu moyen. Faire
revenir les asperges et les petits
pois. Ajouter le gingembre. Verser
quelques cuillerées d'eau pour
braiser et poursuivre la cuisson
jusqu'à ce qu'ils soient tendres.
Saler et poivrer.
...

Pendant ce temps, dans une grande
casserole, cuire les ravioli dans de
l'eau bouillante salée en suivant les
indications du fabricant. Retirer à
l'aide d'une écumoire. Réserver
125 ml (1/2 tasse) d'eau de cuisson.
...

Transférer les ravioli dans la poêle
et mélanger en ajoutant, au besoin,
un peu d'eau de cuisson afin
de bien enrober les ravioli. Vérifier
l'assaisonnement et servir aussitôt.
...

Au service, garnir de parmesan
et poivrer.

SPAGHETTINI EXPRESS AUX PALOURDES

En Italie, on cuisine cette délicieuse pâte avec de très petites palourdes fraîches. En voici une version « dépanneur » apprêtée avec des petites palourdes en conserve qui fera votre régal.

4 PORTIONS

2 c. à soupe d'huile d'olive

+ 2 ou 3 grosses échalotes françaises ou 6 oignons verts hachés finement

+ 2 ou 3 gousses d'ail hachées finement

+ Piments broyés ou pâte de piment

+ 250 ml (1 tasse) de jus des palourdes ou fumet de poisson

+ 500 g (1 lb) de spaghettini ou autres pâtes longues

+ 2 boîtes de 142 ml (5 oz) de petites palourdes, égouttées

+ 2 à 3 c. à soupe de beurre

+ Persil italien ciselé

+ Zeste de citron râpé finement (facultatif)

+ Sel et poivre du moulin

Dans une poêle, chauffer l'huile à feu moyen et faire suer les échalotes 2 min.

…

Ajouter l'ail et le piment. Verser le jus des palourdes. Porter à ébullition et laisser réduire, à feu moyen-élevé, 2 min. Saler.

…

Dans une grande casserole, cuire les pâtes dans de l'eau bouillante salée en suivant les indications du fabricant. Égoutter.

…

Ajouter les palourdes, mélanger et verser sur les pâtes. Incorporer le beurre, le persil et bien mélanger.

AU SERVICE

Si désiré, garnir de zeste de citron et poivrer.

SPAGHETTINI AUX CREVETTES

Une pâte colorée, savoureuse, légère qui met en valeur des crevettes cuites juste à point.

4 PORTIONS

2 tomates épépinées en dés ou 250 ml (1 tasse) de tomates cerises coupées en 4 et épépinées

+ 500 ml (2 tasses) de cresson ou roquette ou 250 ml (1 tasse) de persil italien hachés grossièrement
+ Jus* et zeste de 1 citron
+ 4 c. à soupe d'huile d'olive
+ 500 g (1 lb) de crevettes moyennes décortiquées coupées en 2 ou 3
+ 2 ou 3 gousses d'ail hachées finement
+ 1/4 c. à soupe de piments broyés
+ 125 ml (1/2 tasse) de vin blanc, Noilly Prat ou autre vermouth blanc
+ 500 g (1 lb) spaghettini ou autres pâtes fines
+ 2 à 4 c. à soupe de beurre
+ Sel et poivre du moulin

* Pour ceux qui aiment un goût un peu plus acidulé, ajouter le jus de citron.

Dans un petit bol, mélanger les tomates, le cresson et le zeste de citron

...

Dans une grande poêle, chauffer 2 c. à soupe d'huile à feu élevé. Éponger et saler les crevettes. Les saisir jusqu'à ce qu'elles prennent une couleur rosée. Réserver.

...

Réduire le feu, ajouter 2 c. à soupe d'huile d'olive et faire revenir l'ail et le piment 2 min. Déglacer avec le vin blanc et ajouter le jus de citron si désiré.

...

Pendant ce temps, dans une grande casserole, cuire les pâtes dans de l'eau bouillante salée en suivant les indications du fabricant.

...

Retirer du feu en attendant que les pâtes soient prêtes. Égoutter les pâtes en prenant soin de réserver 125 ml (1/2 tasse) d'eau de cuisson.

...

Remettre les pâtes dans la casserole et y ajouter les crevettes et le mélange de tomates. Remuer en versant un peu d'eau de cuisson afin de bien enrober les pâtes. Incorporer le beurre et vérifier l'assaisonnement.

SUGGESTION

Avec saucisse : Ajouter de la saucisse séchée (cacciatora, chorizo) en tranches en même temps que les crevettes sautées.

SAUCE TOMATE AUX BOULETTES

Je vous confie une astuce de ma grand-mère : faites en sorte qu'il vous reste des boulettes et mangez-les en sandwich. C'est très très bon !

POUR 6 À 8 PORTIONS
BOULETTES
125 ml (1/2 tasse) de pain rassis sans croûte émietté au robot ou 60 ml (1/4 tasse) de chapelure sèche

+ Environ 60 ml (1/4 tasse) de lait ou d'eau
+ 500 g (1 lb) de veau et porc hachés
+ 2 gros œufs légèrement battus
+ 1/4 c. à thé de muscade
+ 1 gousse d'ail pressée
+ 160 ml (2/3 tasse) de parmesan ou un mélange de pecorino romano et parmesan râpés
+ 60 ml (1/4 tasse) de persil italien ciselé
+ Sel et poivre du moulin
+ Assaisonnement, au choix :
  – 80 ml (1/3 tasse) de basilic ciselé
  – 1 c. à thé d'épices italiennes ou herbes de Provence
  – 1 c. à soupe de zeste de citron haché finement

SAUCE
60 ml (1/4 tasse) d'huile d'olive

+ 2 gousses d'ail hachées
+ 1 boîte de 796 ml (28 oz) de tomates en dés ou entières hachées
+ 1 boîte de 398 ml (14 oz) de tomates en dés ou entières hachées
+ 125 ml (1/2 tasse) de bouillon de poulet
+ Un peu de sucre*
+ 125 ml (1/2 tasse) de persil italien ciselé
+ Un soupçon de piment (facultatif)
+ 1 c. à soupe de basilic haché ou 1 c. à thé d'épices italiennes ou herbes de Provence
+ Sel et poivre du moulin

* Si les tomates sont acides.

BOULETTES
Dans un grand bol, mélanger la panure avec suffisamment de lait afin de bien mouiller le tout. Laisser reposer 5 min. Ajouter les autres ingrédients ainsi que l'assaisonnement choisi. Saler, poivrer et mélanger. Faire cuire une petite partie du mélange, goûter et rectifier l'assaisonnement si nécessaire.

…

Former des boulettes d'environ 4 cm (1 1/2 po) de diamètre. Dans une grande poêle à haut rebord, chauffer un peu d'huile à feu moyen-élevé et y faire dorer les boulettes. Ne pas trop surcharger la poêle. Retirer l'excès de gras de la poêle, si nécessaire.

SAUCE
Dans un grand bol, mélanger tous les ingrédients, à l'exception du basilic. Verser sur les boulettes et laisser mijoter à feu doux, à mi-couvert, environ 1 h. Surveiller la cuisson et, si la sauce épaissit trop, ajouter un peu d'eau. Ajouter le basilic au dernier moment.

AU SERVICE
Déposer les pâtes cuites choisies dans un bol de service préalablement réchauffé. Ajouter une petite quantité de sauce pour colorer à peine les pâtes. Servir les pâtes nappées d'un peu de sauce et garnies de boulettes. Saupoudrer de parmesan râpé et poivrer.

NOTE
La sauce et les boulettes peuvent se congeler.

SUGGESTION
Servir les boulettes sans les pâtes, accompagnées de brocoli, rapini ou brocoli chinois cuits. Arroser les légumes d'un filet d'huile d'olive et saupoudrer de parmesan râpé.

PASTA BOLOGNESE

La bolognese traditionnelle mijote tout doucement pendant trois heures.
J'en fait une version moins longue à cuire. Le mélange de la sauce et du fromage
ajouté au moment de servir lui donne toute son onctuosité.

4 À 5 PORTIONS

1 c. à soupe d'huile d'olive

+ 4 c. à soupe de beurre

+ 1 oignon haché

+ 1 ou 2 carottes en dés

+ 1 ou 2 branches de céleri
  ou 1/2 bulbe de fenouil en dés

+ 500 g (1 lb) d'un mélange de viandes
  hachées* (porc, veau, bœuf ou autres)

+ 60 g (2 oz) de pancetta ou prosciutto
  hachés finement (facultatif)

+ 250 ml (1 tasse) de lait

+ 1/2 à 3/4 c. à thé de muscade

+ 250 ml (1 tasse) de vin blanc

+ 250 ml (1 tasse) de tomates en boîte
  en dés ou entières hachées

+ Basilic ou persil italien hachés
  (facultatif)

+ 500 g (1 lb) de rigatoni ou autres pâtes

+ Parmesan râpé

+ Sel et poivre du moulin

* La viande doit être hachée grossièrement.
Demander au boucher de la passer une seule
fois dans le hachoir.

Dans une poêle, à feu moyen, chauffer l'huile et 2 c. à soupe de beurre. Faire revenir l'oignon, la carotte et le céleri 4 à 5 min.

…

Ajouter la viande et la pancetta si désiré, faire cuire à feu élevé jusqu'à ce que la viande soit cuite. Saler.

…

Verser le lait et laisser mijoter de 5 à 8 min ou jusqu'à évaporation presque complète.

…

Ajouter la muscade et le vin. Mijoter et laisser réduire environ 10 min.

…

Ajouter les tomates. Cuire, à feu doux, de 60 à 90 min en remuant à l'occasion. Vérifier l'assaisonnement et détendre avec un peu d'eau, si la sauce est trop consistante. En fin de cuisson, ajouter le basilic si désiré.

…

Dans une grande casserole, cuire les pâtes dans de l'eau bouillante salée en suivant les indications du fabricant. Égoutter.

…

Transférer la sauce dans un grand bol de service préalablement réchauffé. Ajouter au moins 2 c. à soupe de beurre, beaucoup de parmesan et mélanger.

…

Ajouter les pâtes et mélanger afin de bien les enrober de la sauce. Vérifier l'assaisonnement et servir aussitôt.

PASTA ALLA GENOVESE

L'équipe de tournage et moi associons cette pâte à la merveilleuse journée passée
chez Paola et Giampaolo Motta, sur son vignoble La Massa, dans la magnifique région du Chianti.
On l'a cuisinée en Toscane, elle est d'origine napolitaine et se nomme génoise.
Tout va bien ! En Italie, on mange ce genre de plat en deux temps : d'abord, les pâtes avec le jus
de viande, ensuite la viande avec un légume ou une salade.

6 À 8 PORTIONS

2 c. à soupe d'huile d'olive

+ 2 c. à soupe de beurre

+ 1 pièce de bœuf avec l'os d'environ
  1 kg/2 lb (épaule, rôti de palette,
  côtes croisées)

+ 2 kg (4 1/4 lb) d'oignons coupés en 2,
  émincés (environ 16 oignons moyens)

+ 145 g (5 oz) de prosciutto* en tranches,
  coupées en lardons

+ 500 g (1 lb) de bucatini ou autres pâtes

+ Pecorino romano ou parmesan râpés

+ Sel et poivre du moulin

* Demander au charcutier des tranches
d'environ 3 mm (1/8 po) d'épaisseur.

Dans une grande cocotte, chauffer
l'huile et le beurre à feu moyen-
élevé. Saisir la pièce de viande sur
tous les côtés, saler et poivrer.

…

Ajouter les oignons, saler et bien les
répartir dans la cocotte. Ajouter le
prosciutto en prenant soin de bien
le répartir.

…

Couvrir et cuire à feu très doux de
6 à 8 h en arrosant la viande à
quelques reprises. On peut aussi
cuire au centre du four à 120 °C
(250 °F).

…

Enlever le couvercle durant la
dernière demi-heure ou, à la fin de
la cuisson, retirer la viande et faire
réduire le liquide à feu moyen-élevé
jusqu'à ce qu'il reste environ 750 ml
(3 tasses) de liquide.

…

Dans une grande casserole, cuire
les pâtes dans de l'eau bouillante
salée en suivant les indications
du fabricant.

…

Pendant ce temps, désosser la
viande et l'effilocher à l'aide de deux
fourchettes. Réserver au chaud.

…

Égoutter les pâtes, ajouter un peu
de sauce et mélanger. Vérifier
l'assaisonnement et laisser chauffer
environ 1 min.

AU SERVICE

Servir la viande effilochée sur
les pâtes. Saupoudrer de pecorino
romano et poivrer.

RAGÙ DU DIMANCHE

Le ragù est une sauce à la viande qui cuit doucement et longuement. Chaque Italien a son souvenir de ce mets mangé le dimanche chez sa grand-mère, et chaque famille a sa recette. Traditionnellement, comme pour la pasta alla genovese, on le sert en deux temps : la sauce avec les pâtes comme *primo piatto*, puis en *secondo*, la viande avec une salade ou un légume vert braisé. Ici, on préfère souvent manger le tout ensemble.

6 PORTIONS

750 ml (3 tasses) de bouillon de bœuf ou poulet

+ 25 g (3/4 oz) de porcini (cèpes) séchés*

+ 4 c. à soupe d'huile d'olive

+ 1 gros oignon en dés

+ 1 branche de céleri en dés

+ 1 carotte en dés (facultatif)

+ 2 à 4 gousses d'ail écrasées avec le couteau

+ 500 g (1 lb) de côtes levées de porc

+ 2 ou 3 saucisses italiennes douces ou fortes

+ 1 pièce de veau, bœuf ou agneau avec l'os d'environ 500 g/1 lb (épaule, rôti de palette)

+ 250 ml (1 tasse) de vin rouge

+ 1 boîte de 796 ml (28 oz) de tomates italiennes en dés ou hachées

+ 1 feuille de laurier

+ 500 g (1 lb) de pâtes, au choix

+ Persil italien haché

+ Sel et poivre du moulin

* Pour une variante au romarin : Remplacer les porcini par 3 branches de romarin ajoutées en même temps que le laurier.

Préchauffer le four à 180 °C (350 °F).

…

Dans une petite casserole, porter 250 ml (1 tasse) de bouillon à ébullition, retirer du feu et y faire tremper les champignons séchés au moins 20 min. Filtrer dans une passoire tapissée de papier absorbant au-dessus d'un bol. Réserver le jus obtenu et hacher les champignons.

…

Dans une grande cocotte, faire chauffer 2 c. à soupe d'huile et y faire revenir doucement l'oignon, le céleri et la carotte environ 5 min. Ajouter les champignons, l'ail et poursuivre la cuisson 2 min. Retirer les légumes de la poêle et réserver.

…

Découper les côtes levées à toutes les deux côtes.

…

Dans la cocotte, chauffer 2 c. à soupe d'huile et saisir les côtes levées, la saucisse et la viande. Saler et poivrer. Ajouter le vin et laisser réduire un peu. Ajouter les tomates, le reste du bouillon, le jus des champignons et le laurier. Ajouter les légumes réservés. Saler.

…

Cuire au four, à couvert, de 2 h 30 à 3 h ou jusqu'à ce que la viande se détache de l'os. Surveiller la cuisson et ajouter un peu d'eau, si nécessaire.

…

Dans une grande casserole, cuire les pâtes dans de l'eau bouillante salée en suivant les indications du fabricant. Les égoutter en prenant soin de réserver 125 ml (1/2 tasse) d'eau de cuisson.

…

Désosser la pièce de viande. Mettre la viande, les côtes levées et les saucisses dans un plat de service avec un peu de sauce.

…

Mélanger une petite quantité de sauce avec les pâtes en ajoutant de l'eau de cuisson réservée afin de bien enrober les pâtes. Vérifier l'assaisonnement.

AU SERVICE

Déposer le plat de viande sur la table. Saupoudrer les pâtes de persil.

PÂTES À LA SAUCISSE ET AUX TOMATES SÉCHÉES

Rapide à préparer, très savoureuse. Beaucoup d'effet pour peu d'efforts !

4 PORTIONS

500 g (1 lb) de saucisses italiennes
+ 2 c. à soupe d'huile d'olive
+ 250 ml (1 tasse) de vin ou bouillon de poulet
+ 2 c. à soupe de pâte de tomates
+ 500 g (1 lb) d'orecchiette ou autres pâtes courtes
+ 60 ml (1/4 tasse) de tomates séchées hachées ou de pesto de tomates séchées
+ 1 l (4 tasses) de roquette, petite roquette ou jeunes épinards hachés (facultatif)
+ Sel et poivre du moulin

Retirer la peau des saucisses. Dans une grande poêle, chauffer l'huile à feu moyen et faire revenir la chair à saucisse 5 min ou jusqu'à ce qu'elle perde sa couleur rosée, en brisant la chair à l'aide d'une fourchette. Retirer l'excédent de gras de la poêle.

…

Incorporer le vin et la pâte de tomates. Saler et poivrer. Laisser mijoter à feu doux 10 min.

…

Pendant ce temps, dans une grande casserole, cuire les pâtes dans de l'eau bouillante salée en suivant les indications du fabricant. Les égoutter en prenant soin de réserver 125 ml (1/2 tasse) d'eau de cuisson.

…

Dans la casserole, ajouter aux pâtes les tomates séchées et la sauce. Mélanger en ajoutant de l'eau de cuisson réservée, au besoin, afin de bien enrober les pâtes.

…

Ajouter la verdure si désiré. Vérifier l'assaisonnement et servir aussitôt.

PÂTES À LA SAUCISSE ET AU FENOUIL

C'est une recette que ma mère prépare régulièrement, mais jamais de la même façon ! Tantôt elle ajoute une pointe de pesto, tantôt c'est du poireau… En voici une des nombreuses versions.

4 À 5 PORTIONS

500 g (1 lb) de saucisses italiennes
+ 4 c. à soupe d'huile d'olive
+ 1 bulbe de fenouil (p. 173) coupé en 2, émincé
+ 2 poivrons rouges émincés
+ 1 gousse d'ail hachée
+ 1/2 à 1 c. à thé de graines de fenouil écrasées
+ 1/4 c. à thé de piments broyés
+ 500 g (1 lb) de pâtes courtes
+ 125 ml (1/2 tasse) ou plus de bouillon de poulet
+ Parmesan ou pecorino romano râpés ou en copeaux
+ Sel et poivre du moulin

Retirer la peau des saucisses. Dans une grande poêle, chauffer 2 c. à soupe d'huile à feu moyen et faire revenir la chair à saucisse 5 min ou jusqu'à ce qu'elle perde sa couleur rosée, en brisant la chair à l'aide d'une fourchette. Réserver la viande et retirer l'excédent de gras de la poêle.

…

Chauffer le reste de l'huile dans la poêle et faire sauter le fenouil et les poivrons de 3 à 4 min. Ajouter l'ail, les graines de fenouil, le piment et poursuivre la cuisson 2 min. Saler et poivrer.

…

Dans une grande casserole, cuire les pâtes dans de l'eau bouillante salée en suivant les indications du fabricant. Égoutter.

…

Pendant la cuisson des pâtes, verser dans la poêle le bouillon. Ajouter la viande cuite et porter à ébullition.

…

Dans la casserole, mélanger les pâtes et la sauce, et vérifier l'assaisonnement.

…

Au service, saupoudrer de parmesan.

FARFALLE AUX PETITS POIS ET PROSCIUTTO

Cette pâte toute belle et toute simple a très bon goût. À essayer !

4 PORTIONS

3 c. à soupe d'huile d'olive

+ 2 c. à soupe de beurre

+ 1 oignon haché

+ 145 g (5 oz) de prosciutto* en tranches, coupées en julienne

+ 500 ml (2 tasses) de petits pois dégelés ou frais et blanchis 30 s à l'eau bouillante salée

+ Piments broyés (facultatif)

+ 500 g (1 lb) de farfalle ou autres pâtes courtes

+ Une grosse poignée de menthe ou persil italien ciselés

+ Parmesan râpé

+ Poivre du moulin

* Demander au charcutier des tranches d'environ 3 mm (1/8 po) d'épaisseur.

Dans une grande poêle, chauffer l'huile et le beurre à feu moyen et faire revenir l'oignon jusqu'à ce qu'il soit transparent, en prenant soin de ne pas le laisser brunir.

...

Ajouter le prosciutto et les petits pois, et réchauffer 2 à 3 min. Assaisonner de piments si désiré.

...

Dans une grande casserole, cuire les pâtes dans de l'eau bouillante salée en suivant les indications du fabricant. Les égoutter en prenant soin de réserver 125 ml (1/2 tasse) d'eau de cuisson.

...

Ajouter la garniture de petits pois aux pâtes et bien mélanger. Ajouter un peu d'eau de cuisson réservée et mélanger afin de bien enrober les pâtes.

AU SERVICE

Garnir de menthe si désiré.
Saupoudrer de parmesan et poivrer.

SPAGHETTI ALLA CARBONARA

Inspirée de la recette du restaurateur Remo Contini installé dans le quartier Trastevere,
à Rome. Il la fait de façon traditionnelle avec du guanciale (voir lexique, p. 182).
On le remplace ici par la pancetta ou le bacon. La traduction de *alla carbonara* est « à la manière
des charbonniers ». Est-ce à cause du poivre que l'on moud généreusement au service
ou parce qu'un charbonnier l'a inventée ou ?... Qui sait !

2 PORTIONS

225 g (8 oz) de spaghetti, fettuccine
ou linguine

+ Un peu d'huile d'olive
+ 60 ml (1/4 tasse) de pancetta
  ou bacon en dés
+ 2 gros œufs
+ 60 ml (1/4 tasse) de parmesan râpé
+ Poivre du moulin

Dans une grande casserole, cuire
les pâtes dans de l'eau bouillante
salée en suivant les indications
du fabricant. Égoutter en réservant
un peu d'eau de cuisson.

...

Pendant ce temps, dans une grande
poêle, chauffer un peu d'huile à
feu moyen-élevé et faire revenir la
pancetta quelques minutes. Ajouter
un peu d'eau de cuisson des pâtes
pour attendrir la viande.

...

Dans un bol de service, mélanger
avec une fourchette les œufs et le
parmesan. Poivrer.

...

Mélanger les pâtes à la pancetta.
Verser ensuite les pâtes bien
chaudes dans le bol de service et
mélanger afin de bien enrober
les pâtes de la sauce.

...

Au service, saupoudrer de parmesan.

CARBONARA AUX LÉGUMES

Dégustée une première fois chez mon ami Jean Fortin, je l'ai depuis adoptée avec plaisir.
C'est une recette qui nous permet de varier les légumes au gré des saisons.

4 À 5 PORTIONS

2 têtes d'ail

+ 4 gros œufs

+ 2 c. à soupe d'huile d'olive

+ 2 oignons coupés en 2, émincés

+ 1 bulbe de fenouil coupé (p. 173) en 2,
   émincé

+ 3 courgettes en julienne
   ou coupées en 2, émincées

+ 500 g (1 lb) de pâtes, au choix

+ 180 ml (3/4 tasse) de parmesan râpé

+ Basilic, jeunes épinards
   ou roquette émincés (facultatif)

+ Sel et poivre du moulin

D'abord, faire confire l'ail (p. 170).
Extraire l'ail de sa membrane et
réduire en purée.

...

Dans un bol, fouetter les œufs avec
60 ml (1/4 tasse) de purée d'ail confit.

...

Dans une grande poêle, chauffer
l'huile à feu moyen-élevé et faire
caraméliser légèrement l'oignon et
le fenouil. Ajouter les courgettes
et saler. Poursuivre la cuisson 2 min.

...

Dans une grande casserole, cuire
les pâtes dans de l'eau bouillante
salée en suivant les indications
du fabricant. Égoutter en réservant
un peu d'eau de cuisson.

...

Dans un grand bol de service
préalablement réchauffé, mélanger
les légumes et les pâtes. Ajouter le
parmesan, la préparation aux œufs
et poivrer. Mélanger et ajouter
un peu d'eau de cuisson au besoin.
Lorsque les pâtes sont bien enrobées de la sauce, incorporer si désiré
le basilic.

...

Au service, saupoudrer de parmesan
et poivrer.

SUGGESTIONS

Aux asperges : Au printemps,
remplacer les courgettes par des
asperges coupées en tronçons.

...

Aux fleurs de courgettes : En été,
garnir de fleurs de courgettes
sautées.

PAPPARDELLE AUX CHAMPIGNONS

Une sauce que sert très souvent mon amie Marie-Claude Goodwin. Depuis que je l'ai fait connaître à mes amis, ils l'ont aussi adoptée. Maintenant c'est fait, nous la partageons tous.

4 PORTIONS

310 ml (1 1/4 tasse) de bouillon de poulet
+ 15 g (1/2 oz) de porcini (cèpes) séchés
+ 2 à 3 c. à soupe d'huile d'olive
+ 1 oignon haché
+ 2 gousses d'ail hachées
+ 6 à 8 tranches de prosciutto émincées
+ 400 g (14 oz) de champignons (portobello, shiitake, pleurotes, champignons café) émincés
+ 60 ml (1/4 tasse) de crème 35 %
+ 500 g (1 lb) de pappardelle ou autres pâtes
+ Persil italien ciselé
+ Parmesan râpé
+ Sel et poivre du moulin

Dans une petite casserole, porter le bouillon à ébullition, retirer du feu et y faire tremper les champignons séchés au moins 20 min. Filtrer dans une passoire tapissée de papier absorbant au-dessus d'un bol. Réserver le jus obtenu. Hacher les champignons et réserver.

…

Dans une poêle, chauffer l'huile à feu moyen et faire revenir l'oignon jusqu'à ce qu'il soit doré. Ajouter l'ail et poursuivre la cuisson 1 min. Ajouter le prosciutto et cuire 2 min. Retirer de la poêle. Réserver.

…

Dans la poêle, chauffer un peu d'huile à feu élevé et faire sauter les champignons frais jusqu'à ce qu'ils soient colorés. Si nécessaire, faire cuire les champignons en deux temps, en ajoutant un peu d'huile, au besoin. Assaisonner et ajouter les porcini. Ajouter la préparation à l'oignon réservée et poursuivre la cuisson à feu moyen 4 à 5 min afin que les arômes se développent.

…

Ajouter le jus des champignons réservé et la crème. Mijoter à feu moyen quelques secondes et réserver à feu doux.

…

Dans une grande casserole, cuire les pâtes dans de l'eau bouillante salée en suivant les indications du fabricant. Égoutter.

…

Dans un grand bol de service préalablement réchauffé, mélanger les pâtes, la sauce et le persil. Remuer afin de bien enrober les pâtes de la sauce. Vérifier l'assaisonnement et servir aussitôt.

…

Au service, saupoudrer de parmesan et poivrer.

PENNE AU CHOU-FLEUR

C'est Natalia Ravida qui nous a appris à faire cette pâte lors du tournage dans l'oliveraie familiale, en Sicile. J'avais fait quelques essais pas tout à fait réussis avant de profiter du savoir-faire de Natalia. Merci, maintenant ça y est. Natalia offre d'autres recettes de son cru dans son livre *Seasons of Sicily* (New Holland Publishers, Australie).

4 PORTIONS

1 chou-fleur en petits bouquets*
+ 3 c. à soupe d'huile d'olive
+ 1 oignon coupé en 2, émincé
+ Piments broyés
+ 4 c. à soupe de raisins secs
+ 3 c. à soupe ou plus de pignons
+ 3 ou 4 filets d'anchois, rincés, épongés, hachés
+ 2 pincées de safran
+ 500 g (1 lb) de penne ou autres pâtes courtes
+ 250 ml (1 tasse) de caciocavallo, pecorino romano ou parmesan râpés
+ Sel et poivre du moulin

* Pour mettre de la couleur, essayez un chou-fleur jaune ou vert.

Dans la casserole qui servira à la cuisson des pâtes, faire bouillir une grande quantité d'eau et saler. Cuire le chou-fleur environ 5 min. À l'aide d'une écumoire ou d'une passoire, retirer le chou-fleur et le réserver dans un bol. Réserver l'eau pour la cuisson des pâtes.

...

Dans une autre grande casserole, chauffer l'huile à feu moyen, ajouter l'oignon et le piment. Cuire 5 min ou jusqu'à ce que l'oignon soit transparent.

...

Ajouter les raisins secs, les pignons et poursuivre la cuisson 2 min. Incorporer l'anchois en l'écrasant avec une fourchette. Ajouter le chou-fleur, le safran, 125 ml (1/2 tasse) d'eau de cuisson et saler.

...

Laisser cuire environ 10 min ou jusqu'à ce que le chou-fleur soit suffisamment tendre pour l'écraser avec une fourchette. Écraser le chou-fleur en ajoutant un filet d'huile et un peu d'eau de cuisson, au besoin. Vérifier l'assaisonnement.

...

Pendant ce temps, porter à ébullition l'eau réservée et y cuire les pâtes, selon les indications du fabricant. Égoutter en réservant un peu d'eau de cuisson.

...

Ajouter le mélange de chou-fleur aux pâtes. Assaisonner et mélanger. Ajouter un filet d'huile et un peu d'eau de cuisson réservée afin de bien enrober les pâtes de la sauce. Ajouter le fromage, mélanger et servir aussitôt.

FETTUCCINE AU BROCOLI ET AU CURCUMA

Brocoli et curcuma, deux ingrédients qui ont la cote. Avec une touche de cari,
cette recette nous fait voyager. Comme chaque cari a son intensité, à vous de le doser.

4 PORTIONS

1 tête de brocoli
+ 3 c. à soupe d'huile d'olive
+ 2 gousses d'ail coupées en 2
+ 2 échalotes françaises hachées
+ 1 c. à thé de curcuma
+ 1 à 1 1/2 c. à thé de cari
+ 125 ml (1/2 tasse) de crème 35 %
+ 500 g (1 lb) de fettuccine
   ou autres pâtes
+ Parmesan râpé
+ Une grosse poignée de pignons rôtis
   (p. 173)
+ Sel

Couper le brocoli en bouquets de
4 cm (1 1/2 po). Peler les tiges et
couper des cubes de 1,5 cm (1/2 po).
...

Dans la casserole qui servira à la
cuisson des pâtes, faire bouillir une
grande quantité d'eau et saler. Cuire
le brocoli environ 1 min. À l'aide
d'une écumoire ou d'une passoire,
retirer le brocoli et le réserver dans
un bol. Réserver l'eau pour la cuisson
des pâtes.
...

Dans une poêle, chauffer l'huile à
feu doux et faire infuser l'ail et les
échalotes 4 à 5 min sans les laisser
brunir. Retirer l'ail.
...

Ajouter le curcuma, le cari et le
brocoli. Saler. Ajouter la crème et
60 ml (1/4 tasse) d'eau de cuisson.
Laisser mijoter jusqu'à ce que le
brocoli soit cuit, environ 2 min.
...

Pendant ce temps, faire cuire les
pâtes en suivant les indications
du fabricant. Égoutter en réservant
un peu d'eau de cuisson.
...

Ajouter le brocoli aux pâtes et
mélanger afin de bien enrober les
pâtes de la sauce. Ajouter de l'eau
de cuisson réservée, au besoin.
...

Incorporer le parmesan, mélanger
et vérifier l'assaisonnement.
...

Au service, garnir de pignons.

PÂTES À LA COURGE RÔTIE

Cette pâte, qui a déjà fait plusieurs adeptes, peut s'accommoder de différents types de pesto.
Je vous en suggère deux.

4 PORTIONS

4 tranches de pancetta
ou bacon (facultatif)

+ 1 courge musquée de 1 kg (2 lb)

+ 1 oignon en quartiers

+ Un peu d'huile d'olive

+ 1 barquette d'environ 225 g (8 oz)
  de tomates cerises ou olivettes

+ Piments broyés (facultatif)

+ 500 g (1 lb) de pâtes courtes

+ Pesto de sauge* (p. 77)
  ou de noix de Grenoble (p. 74)

+ Parmesan ou grana padano en copeaux

+ Sel et poivre du moulin

* Prévoir une généreuse cuillérée de pesto
par personne.

Préchauffer le four à 180 °C (350 °F).

...

Si on veut ajouter de la pancetta,
disposer les tranches sur une plaque
à cuisson couverte de papier
parchemin. Cuire au four environ
10 min ou jusqu'à ce que la pancetta
soit croustillante. Retirer et déposer
la pancetta sur un papier absorbant.
Réserver.

...

Pendant ce temps, couper la courge
en deux puis, à l'aide d'une cuillère,
retirer les graines. Couper la courge
en morceaux et la peler avec l'économe ou un couteau. Tailler les
morceaux de courge en petits cubes
pour obtenir environ 1,25 l (5 tasses).

...

Sur la plaque à cuisson, enrober la
courge et l'oignon d'huile, saler
et poivrer. Cuire au four à 200 °C
(400 °F) de 30 à 40 min en tournant
les morceaux à mi-cuisson.

...

Couper les tomates en deux et les
presser entre les doigts pour
extraire un peu d'eau de végétation.
Les huiler légèrement. Environ
10 min avant la fin de cuisson de
la courge, ajouter les tomates, les
piments broyés si désiré. Réserver.

...

Dans une grande casserole, cuire
les pâtes dans de l'eau bouillante
salée en suivant les indications du
fabricant. Les égoutter en prenant
soin de réserver 125 ml (1/2 tasse)
d'eau de cuisson.

...

Dans la casserole ou dans un plat
de service préalablement réchauffé,
mélanger les pâtes, le pesto et un
peu de l'eau de cuisson réservée.
Ajouter les légumes rôtis.

...

Au service, garnir de copeaux de
parmesan et de pancetta si désiré.

FETTUCCINE À L'AIL RÔTI ET AUX POIVRONS ROUGES

Une recette de mon ami Stéphan Boucher. Une pâte savoureuse avec de l'ail fondant qu'on écrase à son goût dans la compotée de poivrons.

4 À 5 PORTIONS

125 ml (1/2 tasse) d'huile d'olive

+ 12 gousses d'ail coupées en 2

+ 1 oignon rouge haché

+ 3 poivrons rouges avec ou sans la peau
  (p. 176) en dés ou en lanières

+ 60 ml (1/4 tasse) de tomates
  séchées hachées

+ 250 ml (1 tasse) de vin rouge
  ou bouillon de bœuf

+ Piments broyés, au goût

+ 500 g (1 lb) de fettuccine
  ou autres pâtes

+ 80 ml (1/3 tasse) de ciboulette hachée
  ou persil italien

+ Ricota salata ou parmesan râpés
  ou en copeaux

+ Sel et poivre du moulin

Dans une grande poêle, chauffer l'huile à feu moyen-doux et faire revenir les gousses d'ail sans les laisser brunir, 5 min ou jusqu'à tendreté. Surveiller la cuisson et remuer régulièrement. Retirer les gousses d'ail et réserver.

…

Ajouter l'oignon, les poivrons, les tomates séchées, et poursuivre la cuisson 10 min. Ajouter le vin ou le bouillon et le piment si désiré. Saler.

…

Pendant ce temps, dans une grande casserole, cuire les pâtes dans de l'eau bouillante salée en suivant les indications du fabricant. Égoutter.

…

Ajouter le mélange de poivrons et la ciboulette aux pâtes et mélanger délicatement. Servir aussitôt.

AU SERVICE

Garnir des gousses d'ail rôties réservées et du fromage.

AGLIO E OLIO

En Italie, elle est surnommée la pasta de minuit. On parfume l'huile pendant qu'on cuit les pâtes.
Plus ou moins aillée, plus ou moins pimentée, c'est vraiment affaire de goût.
Les Italiens n'ajoutent pas de fromage… mais bon, à chacun ses règles !

4 PORTIONS

500 g (1 lb) de spaghettini
ou autres pâtes longues fines
+ 6 à 8 c. à soupe d'huile d'olive
+ 2 à 4 gousses d'ail hachées finement
+ 1/4 c. à thé ou plus de piments broyés
+ 125 ml (1/2 tasse) de persil haché
+ Sel et poivre du moulin

Dans une grande casserole, cuire les pâtes dans de l'eau bouillante salée en suivant les indications du fabricant.

…

Pendant ce temps, dans une grande poêle, chauffer l'huile à feu doux. Ajouter l'ail et laisser infuser 3 à 4 min sans le laisser brunir. Ajouter le piment, le persil. Réserver.

…

Égoutter les pâtes en réservant un peu d'eau de cuisson.

…

Ajouter les pâtes à l'huile parfumée. Mélanger en ajoutant de l'eau de cuisson réservée, au besoin, afin de bien enrober les pâtes. Saler et poivrer. Servir aussitôt.

SUGGESTIONS

Aux épinards : En fin de cuisson des pâtes, ajouter un sac de 300 g (10 1/2 oz) de jeunes épinards ou d'épinards hachés. Égoutter et mélanger à l'huile parfumée à l'ail.

…

Aux anchois : Ajouter des anchois écrasés à la fourchette, en même temps que le piment.

CACIO E PEPE

J'avais déjà mis cette pâte dans mon premier livre.
On la reprend, car c'est un grand classique de la cuisine italienne.

4 PORTIONS

500 g (1 lb) de pâtes longues, au choix
+ 2 à 4 c. à soupe de beurre ou d'huile d'olive ou les deux en parts égales
+ 2 c. à thé de grains de poivre grossièrement écrasés
+ 330 ml (1 1/3 tasse) de romano ou parmesan râpés ou les deux en parts égales
+ Zeste râpé et jus de citron (facultatif)

Dans une grande casserole, cuire les pâtes dans de l'eau bouillante salée en suivant les indications du fabricant.

…

Pendant la cuisson des pâtes, mettre le beurre avec le poivre dans un plat de service chaud. On peut poser le plat sur la casserole de cuisson des pâtes pour le maintenir au chaud.

…

Égoutter sommairement les pâtes, en prenant soin de réserver 250 ml (1 tasse) d'eau de cuisson.

…

Verser les pâtes dans le plat chaud et mélanger pour bien les enrober du beurre poivré.

…

Ajouter peu à peu 250 ml (1 tasse) de fromage en remuant et en ajoutant au besoin un peu d'eau de cuisson des pâtes.

…

Au service, ajouter le fromage et, si désiré, le zeste râpé et le jus de citron.

PASTA AU CITRON

Un filet d'huile, une poignée de parmesan et du citron. Voilà, c'est prêt.
À servir en entrée ou en accompagnement. Rappelez-vous, les huiles essentielles du citron
sont volatiles. Il est donc préférable de prélever les zestes à la dernière minute.
Une autre pâte à faire quand on n'a rien au frigo.

**8 PORTIONS EN ENTRÉE
OU 4 PORTIONS EN PLAT**

Zeste de 3 citrons (bio si possible) à la température ambiante râpé finement
+ Jus de 2 citrons
+ 330 ml (1 1/3 tasse) de parmesan râpé
+ 5 c. à soupe d'huile d'olive
+ 500 g (1 lb) de spaghettini
  ou autres pâtes longues fines
+ Une grosse poignée de basilic ciselé
+ Sel et poivre du moulin

<u>Dans un grand bol</u>, mélanger le zeste et le jus de citron, le parmesan et l'huile. Réserver.

…

<u>Dans une grande casserole</u>, cuire les pâtes dans de l'eau bouillante salée en suivant les indications du fabricant. Les égoutter en prenant soin de réserver 125 ml (1/2 tasse) d'eau de cuisson.

…

<u>Ajouter</u> les pâtes chaudes et l'eau de cuisson réservée au besoin à la préparation au citron. Saler et poivrer, mélanger afin de bien enrober les pâtes de la sauce.

AU SERVICE
Garnir de basilic.

SUGGESTIONS

<u>À l'oignon</u> : Chauffer de l'huile d'olive et du beurre en parts égales, à feu moyen et faire revenir 2 oignons hachés jusqu'à ce qu'ils soient transparents, en prenant soin de ne pas les laisser brunir. Ajouter aux pâtes avec les autres ingrédients.

…

<u>Aux asperges</u> : Dans l'eau qui servira à la cuisson des pâtes, attendrir 500 g (1 lb) d'asperges. Retirer à l'aide d'une écumoire. Rafraîchir et couper en tronçons. Pour les réchauffer, les ajouter aux pâtes dans les dernières minutes de cuisson de celles-ci.

…

<u>Aux fruits de mer</u> : La règle veut qu'en Italie on ne serve jamais de fruits de mer avec du parmesan, mais cette pâte au citron est tout de même très bonne garnie de crevettes ou de pétoncles sautés dans l'huile avec du sel, du poivre et un peu de piment, si désiré.

PÂTES AUX HERBES ET À LA RICOTTA

Une pâte d'été toute fraîche de mon amie surnommée Louisa Pesant.
Votre choix de mélange d'herbes sera le bon.

4 PORTIONS

5 c. à soupe de beurre
à température ambiante
+ 60 ml (1/4 tasse) de basilic haché
+ 3 c. à soupe de persil haché
+ 2 c. à soupe de ciboulette hachée
+ 1/2 c. à thé de zeste de citron
   râpé finement
+ 1 c. à soupe de jus de citron
+ 180 ml (3/4 tasse) de ricotta
   ou cottage
+ 125 ml (1/2 tasse) de parmesan râpé
+ 500 g (1 lb) de gemelli
   ou autres pâtes courtes
+ Feuilles d'herbes fraîches
+ Sel et poivre du moulin

Dans le bol du robot culinaire*, mélanger tous les ingrédients, à l'exception des pâtes et des feuilles d'herbes fraîches, jusqu'à consistance homogène. Réserver.

…

Dans une grande casserole, cuire les pâtes dans de l'eau bouillante salée en suivant les indications du fabricant. Les égoutter en prenant soin de réserver 125 ml (1/2 tasse) d'eau de cuisson.

…

Remettre les pâtes dans la casserole, ajouter la préparation à la ricotta, saler, poivrer et bien mélanger. Ajouter un peu d'eau de cuisson réservée, au besoin, afin que les pâtes soient bien enrobées de la sauce. Vérifier l'assaisonnement.

* Il est aussi possible de hacher les herbes finement au couteau de chef, puis de les mélanger ensuite aux autres ingrédients. Par contre, si vous utilisez le cottage, le robot culinaire est nécessaire.

AU SERVICE

Garnir de feuilles d'herbes fraîches.

PÂTES AUX JAMBON, MASCARPONE ET ROQUETTE

Une autre pâte franchement bonne pour vos menus express. Tout est dans le titre !

4 À 5 PORTIONS

500 g (1 lb) de pâtes courtes

+ 2 à 3 c. à soupe de beurre

+ 200 g (7 oz) de jambon fumé de type speck (p. 182) ou prosciutto en dés

+ 1,5 l (6 tasses) de roquette hachée grossièrement

+ 250 ml (1 tasse) de mascarpone ou crème fraîche

+ Parmesan râpé

+ Sel et poivre du moulin

Dans une grande casserole, cuire les pâtes dans de l'eau bouillante salée en suivant les indications du fabricant.

…

Pendant ce temps, dans une grande poêle, faire fondre le beurre à feu moyen. Ajouter le jambon et la roquette. Dès que le mélange est réchauffé et la roquette à peine tombée, retirer du feu et incorporer le mascarpone. Saler, poivrer et bien mélanger.

…

Égoutter les pâtes en prenant soin de réserver 125 ml (1/2 tasse) d'eau de cuisson. Les ajouter à la sauce en ajoutant un peu d'eau de cuisson réservée au besoin.

…

Au service, saupoudrer de parmesan et poivrer.

NOTE

S'il vous reste du mascarpone, pourquoi ne pas vous laisser tenter par la trempette au chocolat (p. 146) pour un autre menu.

SUGGESTION

Remplacer la roquette par de jeunes épinards ou des petits pois frais cuits ou dégelés.

PÂTES GRATINÉES AU FROMAGE

C'est un macaroni du dimanche ! La bonne nouvelle : un macaroni sans béchamel à préparer.
On fait ici d'excellents cheddars, mais vous pouvez aussi vous amuser à mélanger d'autres fromages.

6 PORTIONS

500 ml (2 tasses) de crème 35 %
ou crème champêtre 15 %

+ 1 boîte de 398 ml (14 oz) de tomates
  en dés ou entières hachées

+ 750 ml (3 tasses) de cheddar
  extra-fort râpé

+ 375 ml (1 1/2 tasse) de parmesan
  ou pecorino romano râpés

+ 1 gros bouquet de basilic haché

+ 500 g (1 lb) de tortiglioni
  ou autres pâtes courtes

+ 125 ml (1/2 tasse) de chapelure

+ Un filet d'huile d'olive

+ Sel et poivre du moulin

Préchauffer le four à 200 °C (400 °F).
Dans un grand bol, mélanger la
crème, les tomates, le cheddar,
250 ml (1 tasse) de parmesan et
le basilic. Saler et poivrer.

...

Dans une grande casserole, cuire
les pâtes dans de l'eau bouillante
salée jusqu'à ce qu'elles soient
presque *al dente*. Bien égoutter.

...

Ajouter les pâtes aux ingrédients
dans le bol et bien mélanger.

...

Verser les pâtes dans 6 ramequins
de 375 ml (1 1/2 tasse) ou un plat
à gratin.

...

Mélanger la chapelure, le reste du
parmesan, un filet d'huile et répartir
sur le dessus. Cuire au four de 12 à
15 min pour les ramequins et de
25 à 30 min pour le plat à gratin.

AU SERVICE

Accompagner d'une salade
de verdures bien fraîches.

MACARONI BAMBINI

Je cherchais un plat orangé et simplissime à servir aux enfants. Voici ce que m'a suggéré mon ami Stéphan Boucher. Si le parmesan n'a pas la cote auprès d'eux, supprimez-le… en partie !

6 À 8 PORTIONS D'ENFANTS
500 g (1 lb) de ruote
ou autres pâtes courtes
+ 2 gros œufs
+ 750 ml (3 tasses) de cheddar doux râpé
+ 125 ml (1/2 tasse) de parmesan râpé
+ 2 c. à soupe de pâte de tomates
+ Tomates rôties (p. 179) (facultatif)
+ Sel et poivre du moulin

Dans une grande casserole, cuire les pâtes dans de l'eau bouillante salée en suivant les indications du fabricant.
…

Pendant ce temps, battre les œufs dans un bol. Ajouter le cheddar, le parmesan si désiré et la pâte de tomates. Saler, poivrer et bien mélanger.
…

Égoutter les pâtes en réservant un peu d'eau de cuisson.
…

Dans la casserole, ajouter aux pâtes la préparation au fromage. Mélanger en ajoutant de l'eau de cuisson réservée, au besoin, afin de bien enrober les pâtes.
…

Réchauffer jusqu'à ce que les pâtes soient bien chaudes et le fromage fondu. Vérifier l'assaisonnement.

AU SERVICE
Si désiré, garnir le macaroni de tomates rôties. On peut également faire gratiner le macaroni au four sous le gril.

SUGGESTIONS
Pour les grands : Poivrer généreusement et ajouter des épinards tombés à l'huile d'olive.
…

Pour les tout-petits : Ajouter de petits bouquets de brocoli cuits.

PENNE AU BLEU ET AUX ÉPINARDS

Cette sauce au bleu facile à assembler est riche et onctueuse.
L'épinard lui apporte une note de fraîcheur. Profitons du savoir-faire de nos artisans fromagers.

4 À 5 PORTIONS

500 g (1 lb) de penne
ou autres pâtes courtes

+ 200 g (7 oz) de gorgonzola ou un
  fromage bleu du Québec émiettés

+ 250 ml (1 tasse) de crème 35 %
  ou bouillon de poulet

+ 500 ml (2 tasses) de jeunes épinards
  ou petite roquette

+ 80 ml (1/3 tasse) de noix (noix de
  Grenoble, pacanes, pistaches) rôties
  (p. 173), hachées

+ Poivre du moulin

Dans une grande casserole, cuire
les pâtes dans de l'eau bouillante
salée en suivant les indications du
fabricant. Les égoutter en prenant
soin de réserver 125 ml (1/2 tasse)
d'eau de cuisson.

...

Pendant ce temps, dans une petite
casserole, chauffer la crème et
ajouter le fromage. Écraser à l'aide
d'une fourchette en conservant
des morceaux de fromage.

...

Remettre les pâtes dans la casserole.
Verser la sauce sur les pâtes. Bien
les enrober en ajoutant un peu
d'eau de cuisson au besoin. Ajouter
les épinards, les noix et mélanger
rapidement. Servir aussitôt.

AU SERVICE
Poivrer généreusement.

LASAGNE AUX AUBERGINES ET À LA RICOTTA

Oui, bien sûr, il faut prendre le temps pour préparer une lasagne.
Par contre, si on l'a préparée à l'avance, on peut nourrir tout son monde seulement
en allumant le four et en touillant une salade.

8 PORTIONS

Double recette de sauce tomate
de base (p. 56)
+ Piments broyés, au goût
+ 1,5 kg (3 lb) d'aubergines
+ 500 g (1 lb) de ricotta
+ 375 ml (1 1/2 tasse) de parmesan râpé
+ 2 gros œufs légèrement battus
+ 1/2 c. à thé de muscade
+ 500 g (1 lb) de pâtes à lasagne fraîches
   ou 360 g (12 oz) de sèches
+ 1 c. à soupe d'huile
+ 500 ml (2 tasses) de provolone
   ou mozzarella râpés
+ 500 ml (2 tasses) de mozzarella râpée
+ Sel et poivre du moulin

Préparer à l'avance la sauce tomate en y ajoutant un peu de piments broyés au goût. Réserver.

…

Peler les aubergines et les trancher en rondelles de 0,5 cm (1/4 po) ou sur la longueur si elles sont petites. Les huiler, les saler et les rôtir sous le gril environ 4 min de chaque côté jusqu'à ce qu'elles soient dorées. Réserver.

…

Préchauffer le four à 180 °C (350 °F).

…

Dans un bol, mélanger la ricotta, 250 ml (1 tasse) de parmesan, les œufs et la muscade. Vérifier l'assaisonnement.

…

Dans une grande casserole, cuire les pâtes dans de l'eau bouillante salée en ajoutant l'huile. Suivre les indications du fabricant et arrêter la cuisson en rinçant à l'eau froide. Bien égoutter les pâtes et les étendre en intercalant une pellicule plastique.

…

Dans un bol, mélanger le reste du parmesan, le provolone et la mozzarella. Réserver.

…

Couvrir de sauce tomate le fond d'un grand plat de 23 x 33 cm (9 x 13 po).

…

Déposer une rangée de pâtes, napper de sauce tomate et disposer la moitié des tranches d'aubergine. Couvrir du tiers des fromages râpés. Poursuivre avec une rangée de pâtes, de la sauce tomate et toute la préparation à la ricotta. Couvrir de nouveau de pâtes, napper de sauce tomate et disposer le reste des tranches d'aubergine. Couvrir d'un autre tiers des fromages râpés. Terminer avec une rangée de pâtes, napper de sauce tomate et couvrir du reste de fromage.

…

Faire cuire 45 à 50 min au four ou jusqu'à ce que le dessus soit doré.

SUGGESTION

Aux champignons : Remplacer la moitié des aubergines par 3 ou 4 portobello tranchés, huilés, salés et rôtis sous le gril.

FRITTATA AUX PÂTES

Une omelette préparée avec un reste de pâtes, que ce soit à la sauce tomate, à la saucisse,
aux poivrons, aux petits pois… Le lunch idéal vite fait accompagné d'une salade.

1 PORTION

1 gros œuf

+ 2 c. à soupe d'eau

+ 2 c. à soupe de parmesan
  ou pecorino romano râpés

+ Persil italien haché (facultatif)

+ Un peu d'huile d'olive

+ 1 portion de pâtes cuites
  à la température ambiante

+ Sel et poivre du moulin

<u>Dans un bol</u>, battre l'œuf, l'eau, le parmesan et le persil si désiré. Saler et poivrer.

…

<u>Dans une petite poêle antiadhésive</u>, chauffer l'huile et réchauffer d'abord la portion de pâtes à feu moyen-élevé. Verser le mélange d'œuf. Cuire à feu moyen-doux et retourner l'omelette pour la fin de la cuisson.

SUGGESTION

Ajouter des piments broyés à l'huile de cuisson.

Dolci

DESSERTS ET AUTRES DOUCEURS

Pour terminer le repas en douceur, j'ai choisi bien sûr des saveurs inspirées d'Italie.

LES FRUITS – Pour prolonger le plaisir d'un repas, les Italiens apprécient les fruits de saison bien mûrs. Tout doucement, on déguste ce que la nature nous offre. Les desserts plus élaborés, eux, seront réservés aux jours de fête. C'est dans cet esprit que j'ai pensé vous offrir ces recettes : salade d'agrumes au Campari et nage de fruits au moscato.

LES GLACES ET LES SORBETS – C'est la tradition en Italie, après le repas, de sortir prendre une glace ou un sorbet et de flâner dans les rues de la ville. Cela s'appelle *la passeggiata.* On a de plus en plus la chance de trouver ici des glaces artisanales, alors profitons-en, en promenade ou à la maison. Pour animer ce plaisir, vous trouverez la recette d'un granité au café et aux noisettes, d'un sorbet au chocolat, d'une glace vanille garnie de fraises aromatisée au vinaigre balsamique et d'un panettone farci glacé.

LE CAFÉ – C'est un véritable culte en Italie, et son odeur nous transporte dans ses rues étroites. Chaque heure propose son genre de café, et chacun a sa manière de le boire. Cet arôme se déguste, dans nos pages, sous forme de granité, de budino et de sablés.

LE CHOCOLAT ET LES NOIX – Que ce soit un simple bol de noix à écaler, un morceau de chocolat noir fondant ou de nougat ou encore une trempette de mascarpone au chocolat, une pointe de torta caprese, des sablés moka, des biscotti..., on alterne ces friandises ou on les combine comme dans l'étonnant saucisson au chocolat et au noix présenté dans cette section.

LE CITRON – Un peu de soleil du sud de l'Italie, qu'on retrouvera dans le limoncello, le budino à la lime et le cake à l'huile d'olive et au citron.

Tout ça... pour terminer un repas en douceur.

NAGE DE FRUITS AU MOSCATO

On choisit ses fruits en fonction des saisons et on y verse cet élixir parfumé et doré.

Eau

+ Sucre

+ Moscato d'Asti froid (p. 185)

+ Raisins de 2 ou 3 couleurs

Dans une petite casserole, faire chauffer l'eau et le sucre en proportions égales jusqu'à complète dissolution du sucre. Laisser refroidir et réserver au réfrigérateur.

...

Mettre dans un bol les raisins coupés en deux et épépinés s'il y a lieu. Verser le moscato sur les raisins et sucrer au goût en ajoutant du sirop. Réfrigérer au moins 1 h.

...

Servir dans des verres ou des coupes.

SUGGESTION

En saison, remplacer les raisins par du melon, du cantaloup, des pêches, des cerises et/ou des fraises.

SALADE D'AGRUMES AU CAMPARI

Campari et agrumes forment déjà un mariage heureux.
Ajoutez-y un sirop et il ne reste qu'à déguster et à s'en réjouir.

6 À 8 PORTIONS

60 ml (1/4 tasse) d'eau

+ 3 c. à soupe de sucre

+ 60 ml (1/4 tasse) de Campari (p. 185)

+ 6 pamplemousses roses ou un mélange de pamplemousses et oranges

+ Grenade ou menthe fraîche ciselée (facultatif)

Dans une petite casserole, faire chauffer l'eau et le sucre jusqu'à complète dissolution du sucre. Ajouter le Campari. Laisser refroidir et réserver.

...

Peler à vif les pamplemousses au-dessus d'un bol. Prélever les segments (p. 170) et réserver le jus.

...

Mélanger le sirop préparé au jus et aux segments des fruits. Réfrigérer au moins 1 h.

...

Servir le dessert bien froid et garnir, si désiré, de petites graines de grenade ou de menthe.

TREMPETTE DE MASCARPONE AU CHOCOLAT

Crème onctueuse et chocolatée, j'aime aussi quand elle est parfumée.
Ce dessert se prépare en moins de deux. Pour y tremper des fruits ou glacer un gâteau.

6 À 8 PORTIONS

60 ml (1/4 tasse) de cacao

+ 180 ml (3/4 tasse) de sucre à glacer

+ 250 ml (1 tasse) de mascarpone*
  à la température ambiante

+ 2 à 3 c. à soupe d'amaretto, porto
  ou autre alcool (facultatif)

+ 80 ml (1/3 tasse) de lait

* On peut remplacer le mascarpone par
du fromage à la crème.

Tamiser le cacao et le sucre à glacer.

…

Dans un bol, mélanger au batteur
électrique ou au fouet le mascarpone, le cacao et le sucre à glacer
jusqu'à l'obtention d'un mélange
homogène.

…

Parfumer avec l'alcool si désiré.
Ajouter juste assez de lait pour
détendre et obtenir la consistance
d'une trempette.

AU SERVICE

Tremper des fraises, des framboises,
des biscuits ou des quartiers de poire.

GLACE VANILLE, FRAISES ET VINAIGRE BALSAMIQUE

Un air connu : du vinaigre balsamique versé sur la glace à la vanille ou sur les fraises.
C'est le moment d'utiliser un bon vinaigre balsamique âgé et sirupeux.
Pour changer, essayez le vin cotto (p. 183) qui est vraiment un condiment à découvrir.

Glace à la vanille

+ Fraises

+ Vinaigre balsamique âgé ou vin cotto

+ Basilic ciselé ou poivre (facultatif)

Garnir la glace de fraises, arroser
d'un filet de vinaigre balsamique et
parsemer de basilic si désiré.

…

Au service, accompagner de biscuits.

SUGGESTION

Remplacer les fraises par des
mangues, des pêches, des figues,
des mûres ou des framboises.

PANETTONE GLACÉ

On achète cette brioche surtout à la période des Fêtes. Qu'on utilise un panettone
ou un pandoro comme sur la photo, ce dessert a fière allure et il est « simplissime » à préparer.

8 À 10 PORTIONS

1 l (4 tasses) de glace à la vanille
+ 1 panettone ou 1 pandoro (p. 183)
+ 5 c. à soupe d'amaretto,
  Cointreau ou rhum
+ 250 ml (1 tasse) de framboises
  surgelées
+ 3 à 4 c. à soupe de gingembre haché
  ou râpé finement
+ 125 ml (1/2 tasse) ou plus d'amandes
  effilées rôties (p. 173)
+ Sucre à glacer
+ Coulis de fruits ou sauce au chocolat
  (facultatif)

Ramollir la glace au réfrigérateur
environ 30 min ou juste ce qu'il faut
pour qu'elle soit malléable.
…

Couper à la base du panettone une
tranche d'environ 4 cm (1 1/2 po).
Réserver.
…

À l'aide d'un couteau, évider le
panettone en préservant environ
2,5 cm (1 po) d'épaisseur sur les
côtés. Badigeonner l'intérieur
d'alcool.
…

Dans un bol, mélanger la glace,
les framboises, le gingembre et les
amandes. En farcir le panettone.
Replacer la base et remettre le
panettone dans son sac d'emballage.
Garder au congélateur au moins 8 h.

AU SERVICE

Laisser le panettone 45 min au
réfrigérateur avant de servir.
Saupoudrer de sucre à glacer.
Couper en tranches et, si désiré,
accompagner d'un coulis ou d'une
sauce au chocolat.

NOTE

La mie du panettone peut être
utilisée pour réaliser un excellent
pouding au pain.

SUGGESTION

Deux parfums de glace : Encore plus
simple, après avoir vidé la brioche,
badigeonner d'alcool et tapisser
le fond avec une des deux glaces.
Laisser durcir au congélateur
au moins 30 min avant de farcir
avec une deuxième glace ou un
sorbet. Replacer la base et remettre
au congélateur.

SORBET AU CHOCOLAT

Cette recette est inspirée d'un sorbet de Mark Bittman du *New York Times*.
Même très riche en chocolat, on conserve la fraîcheur d'un sorbet.

6 PORTIONS

180 ml (3/4 tasse) de sucre

+ 180 ml (3/4 tasse) de cacao

+ 500 ml (2 tasses) d'eau bouillante

+ 1 c. à thé d'extrait de vanille

+ Garniture (facultatif) :

  – Biscuits au chocolat émiettés

  – Petits fruits

<u>Mettre</u> le sucre et le cacao dans un bol. Bien mélanger. Verser graduellement l'eau bouillante en mélangeant à l'aide d'un fouet jusqu'à complète dissolution. Ajouter la vanille. Refroidir.

...

<u>Verser</u> la préparation dans un plat carré de 23 cm (9 po). Placer au congélateur au moins 3 h ou jusqu'à ce que ce soit bien figé.

...

<u>À l'aide d'un couteau</u>, tailler en morceaux et transférer dans le bol du robot culinaire. Actionner l'appareil et laisser tourner quelques minutes jusqu'à l'obtention d'une consistance onctueuse. Racler le bol avec une spatule à quelques reprises. Remettre au congélateur 30 min.

AU SERVICE

Si désiré, garnir les portions individuelles de biscuits au chocolat émiettés ou de petits fruits.

NOTES

S'il y a un restant de sorbet et qu'il a de nouveau figé, le repasser tout simplement au robot.

...

Ce dessert se prépare aussi à la sorbetière.

GRANITÉ AU CAFÉ ET AUX NOISETTES

À Naples, plusieurs bars offrent de succulents cafés à la noisette : chauds, glacés, allongés, baptisés...
En voici maintenant une version granitée.

4 PORTIONS

500 ml (2 tasses) de café espresso chaud

+ 125 ml (1/2 tasse) de tartinade au chocolat et aux noisettes de type Nutella

<u>Mélanger</u> le café et la tartinade dans un plat en pyrex.

...

<u>Laisser</u> tiédir à la température ambiante avant de placer le plat au congélateur pendant environ 3 à 4 h. À quelques reprises, gratter la surface avec une fourchette.

...

<u>Si le granité n'est pas immédiatement servi</u>, il risque de se solidifier et de prendre en bloc. Il faudra au moment de servir, le casser en morceaux et le broyer au robot.

AU SERVICE

On peut garnir de crème fouettée et saupoudrer de fins copeaux de chocolat.

NOTE

Le granité se conserve au congélateur dans un sac de congélation dont on aura complètement retiré l'air.

BISCOTTI À TREMPER

En Italie, biscotti est le nom générique de tous les biscuits et pas seulement des biscuits secs de forme allongée que l'on se plaît à tremper dans le vin, le café ou le thé. *Bis cotti*, c'est-à-dire « cuits en deux temps ». Une première fois en un long rouleau, une deuxième fois coupés en biscuits. Selon qu'ils contiennent ou pas de beurre, ils seront secs ou très secs. On réserve ces derniers pour les tremper dans le vin, dans le vin santo (p. 185) ou un autre vin doux, dans le cidre de glace, le thé ou le café. De plus, les biscotti se conservent longtemps et font des cadeaux appréciés. Ça demande un certain tour de main, mais l'exercice est agréable et la récompense vient… au dessert.

36 BISCUITS

2 c. à soupe de graines d'anis

+ 3 c. à soupe de sambuca, Pernod
  ou Ricard (facultatif)

+ 680 ml (2 3/4 tasses) de farine*

+ 1 c. à thé de poudre à pâte

+ 1/4 c. à thé de sel

+ 180 ml (3/4 tasse) de sucre

+ 3 gros œufs battus
  à la température ambiante

+ 1 c. à thé d'extrait de vanille

+ 2 c. à thé d'essence d'amandes

+ 250 ml (1 tasse) d'amandes entières

* Prévoir un peu plus de farine si la pâte est trop collante.

Préchauffer le four à 180 °C (350 °F). Couvrir une plaque à cuisson de papier parchemin ou d'une feuille de silicone ou utiliser une plaque antiadhésive.

…

Dans un petit bol, faire tremper les graines d'anis dans la sambuca si désiré.

…

Dans un bol, mélanger la farine, la poudre à pâte et le sel. Réserver.

…

Dans un grand bol, à l'aide d'un batteur électrique, battre le sucre et les œufs, jusqu'à ce que le mélange devienne crémeux et jaune pâle. Ajouter la vanille, l'essence d'amandes et les graines d'anis.

…

À l'aide d'une cuillère en bois, incorporer les ingrédients secs et les amandes en travaillant la pâte avec les mains. Ajouter un peu de farine si la pâte est trop collante.

…

Diviser la pâte en deux et façonner deux rouleaux d'environ 35 cm (14 po) de longueur. Les placer sur la plaque de cuisson et les aplatir pour qu'ils aient 6 cm (2 1/2 po) de largeur.

…

Badigeonner les rouleaux d'œuf battu.

…

Cuire au centre du four de 20 à 25 min ou jusqu'à ce que la pâte soit ferme au toucher. À l'aide de deux spatules, déposer les rouleaux sur une grille et laisser refroidir environ 15 min.

…

Baisser la température du four à 150 °C (300 °F).

…

Sur une planche à découper, à l'aide d'un couteau à pain, tailler en diagonale des tranches de 1 cm (3/8 po).

…

Déposer sur la plaque et cuire environ 15 à 20 min, en prenant soin de retourner les biscotti à mi-cuisson ou jusqu'à ce que les biscotti soient secs.

…

Refroidir sur une grille. Les biscotti se conservent dans une boîte métallique quelques semaines.

SUGGESTIONS

Après avoir badigeonné les rouleaux d'œuf battu, les saupoudrer de sucre brut (turbinado, demerara).

…

Pour un biscuit moins sec, ajouter 125 ml (1/2 tasse) de beurre à la température ambiante au sucre avant d'ajouter les œufs.

BISCOTTI DOUBLE CHOCOLAT

Un biscuit que je vois bien piqué dans une glace à la vanille, aux pistaches ou aux petits fruits.
Qui se trempe dans un bon café nature ou dans lequel on a versé quelques larmes d'alcool.
La découpe est délicate, mais que les miettes sont délicieuses !

36 BISCUITS

500 ml (2 tasses) de farine*
+ 125 ml (1/2 tasse) de cacao
+ 1 c. à thé de soda à pâte
+ 1/2 c. à thé de sel
+ 60 ml (1/4 tasse) de beurre
   à la température ambiante
+ 250 ml (1 tasse) de sucre
+ 2 gros œufs à la température ambiante
+ 2 c. à thé d'extrait de vanille
+ 2 c. à thé d'essence d'amandes
+ 250 ml (1 tasse) de pistaches entières
+ 145 g (5 oz) de chocolat de 58 à 70 % de
   cacao ou mi-amer haché ou en pépites

* Prévoir un peu plus de farine si la pâte
est trop collante.

Préchauffer le four à 160 °C (325 °F).
Couvrir une plaque à cuisson de
papier parchemin ou d'une feuille
de silicone ou utiliser une plaque
antiadhésive.
...

Dans un bol, tamiser la farine,
le cacao, le soda à pâte et le sel.
Réserver.
...

Dans un grand bol, à l'aide d'un
batteur électrique, battre le beurre
et le sucre afin que ce soit bien
mélangé. Ajouter les œufs un à la
fois et battre de nouveau jusqu'à
consistance homogène.
...

Incorporer la vanille et l'essence
d'amandes.
...

À l'aide d'une cuillère en bois,
incorporer les ingrédients secs, les
noix et le chocolat en travaillant la
pâte avec les mains. Ajouter de la
farine si la pâte est trop collante.
...

Diviser la pâte en deux et façonner
deux rouleaux d'environ 25 cm
(10 po) de longueur. Les placer sur la
plaque à cuisson et les aplatir pour
qu'ils aient 8 cm (3 po) de largeur.
...

Cuire au centre du four 30 min ou
jusqu'à ce que la pâte soit ferme au
toucher. À l'aide de deux spatules,
déposer les rouleaux sur une grille
et laisser refroidir au moins 20 min.
...

Baisser la température du four à
150 °C (300 °F).
...

En tenant fermement le rouleau
sur une planche à découper, à l'aide
d'un couteau à pain, tailler en
diagonale des tranches de 1,5 cm
(1/2 po).
...

Déposer sur la plaque et cuire 10 min
avant de retourner les biscotti.
Poursuivre la cuisson 10 min
ou jusqu'à ce qu'ils soient secs.
...

Refroidir sur une grille. Les biscotti
se conservent dans une boîte
métallique environ 2 semaines.

SUGGESTIONS

Avant la cuisson, badigeonner d'œuf
battu les rouleaux et saupoudrer de
sucre brut (turbinado, demerara).
...

Lorsque les biscotti sont refroidis,
les glacer en partie avec du chocolat
fondu.

BISCOTTI AU CAFÉ ET AUX NOIX DE CAJOU

Café, noix de cajou et chocolat, ces biscotti n'ont rien de traditionnel,
sinon leur forme. Mais ils ont la cote.

36 BISCUITS

625 ml (2 1/2 tasses) de farine*

+ 1 c. à thé de poudre à pâte

+ 1/4 c. à thé de sel

+ 125 ml (1/2 tasse) de beurre
à la température ambiante

+ 180 à 250 ml (3/4 à 1 tasse)
de cassonade ou sucre, au goût

+ 2 gros œufs à la température ambiante

+ 2 c. à soupe de café instantané dilué
dans 1 c. à soupe d'eau bouillante

+ 1 c. à thé d'extrait de vanille

+ 310 ml (1 1/4 tasse) de noix de cajou
nature non rôties ou pacanes

+ 125 ml (1/2 tasse) de pépites de
chocolat mi-amer ou chocolat à 70 %
de cacao haché

+ 1 gros œuf battu

* Prévoir un peu plus de farine si la pâte est
trop collante.

Préchauffer le four à 180 °C (350 °F).
Couvrir une plaque à cuisson de
papier parchemin ou d'une feuille
de silicone ou utiliser une plaque
antiadhésive.

…

Dans un bol, mélanger la farine,
la poudre à pâte et le sel. Réserver.

…

Dans un grand bol, à l'aide d'un
batteur électrique, battre le beurre
et la cassonade afin que ce soit bien
mélangé. Ajouter les œufs un à la
fois et battre de nouveau jusqu'à
consistance homogène. Incorporer
le café et la vanille.

…

À l'aide d'une cuillère en bois, incorporer les ingrédients secs, les noix
et les pépites en travaillant la pâte
avec les mains si nécessaire. Ajouter
les pépites de chocolat et un peu de
farine si la pâte est trop collante.

…

Diviser la pâte en deux et façonner
deux rouleaux d'environ 35 cm
(14 po) de longueur. Les placer sur
la plaque de cuisson et les aplatir
pour qu'ils aient 6 cm (2 1/2 po)
de largeur.

…

Badigeonner les rouleaux
d'œuf battu.

…

Cuire au centre du four de 20 à
25 min ou jusqu'à ce que la pâte soit
ferme au toucher. À l'aide de deux
spatules, déposer les rouleaux sur
une grille et laisser refroidir environ
15 min.

…

Baisser la température du four
à 150 °C (300 °F).

…

Sur une planche à découper, à l'aide
d'un couteau à pain, tailler en
diagonale des tranches de 1,5 cm
(1/2 po).

…

Les disposer sur la plaque et cuire
environ 15 à 20 min ou jusqu'à
ce que les biscotti soient secs,
en prenant soin de retourner les
biscotti à mi-cuisson.

…

Refroidir sur une grille. Les biscotti
se conservent dans une boîte
métallique environ 2 semaines.

SUGGESTION

Après avoir badigeonné d'œuf battu
les rouleaux, les saupoudrer de
sucre brut (turbinado, demerara).

SABLÉS MOKA

Des sablés tendres et exquis qui ont l'avantage de se congeler en rouleaux
et que l'on fait cuire lorsque l'envie nous prend. C'est comme avoir le bonheur à portée de main.

4 À 5 DOUZAINES

375 ml (1 1/2 tasse) de farine

+ 125 ml (1/2 tasse) de cacao

+ 1/4 c. à thé de sel

+ 250 ml (1 tasse) de beurre
  à la température ambiante

+ 180 ml (3/4 tasse) + 2 c. à soupe
  de sucre à glacer

+ 80 ml (1/3 tasse) de fécule de maïs

+ 1 c. à soupe de café instantané

+ Sucre brut de type demerara
  ou turbinado (facultatif)

<u>Dans un bol</u>, tamiser la farine, le cacao et le sel. Réserver.

...

<u>Dans un grand bol</u>, à l'aide d'un batteur électrique, battre le beurre 30 s. Ajouter le sucre, la fécule et battre 5 min ou jusqu'à ce que le mélange soit homogène et crémeux. Ajouter le café et mélanger.

...

<u>Incorporer</u> les ingrédients secs et continuer de battre à basse vitesse jusqu'à l'obtention d'une boule de pâte homogène. Travailler la pâte avec les mains si nécessaire.

...

<u>Diviser</u> la pâte en deux et façonner deux rouleaux de 4 cm (1 1/2 po) de diamètre. Envelopper les rouleaux individuellement dans une pellicule plastique et réfrigérer 2 h.

...

<u>Si désiré</u>, les rouler dans le sucre brut. Couper les rouleaux en rondelles de 0,5 cm (1/4 po) d'épaisseur.

...

<u>Préchauffer</u> le four à 160 °C (325 °F).

...

<u>Tapisser</u> une plaque à cuisson de papier parchemin ou d'une feuille de silicone ou utiliser une plaque antiadhésive. Disposer les biscuits sur la plaque en les espaçant d'environ 2 cm (3/4 po).

...

<u>Cuire</u> au four de 8 à 10 min.

...

<u>Laisser</u> tiédir légèrement avant de manipuler. Refroidir complètement sur une grille et les conserver dans une boîte métallique.

SUGGESTION

<u>À la cannelle épicée</u> : Remplacer le café par 1 à 2 c. à thé de cannelle et 1/8 à 1/4 c. à thé de piment de Cayenne, que vous ajouterez à la farine.

SAUCISSON AU CHOCOLAT ET AUX FIGUES SÉCHÉES

Chocolat, figues et noix, exquis ! En Italie, on trouve ces drôles de « saucissons » truffés de fruits secs et de noix dans les épiceries fines. Se grignote en fin de repas et s'offre joliment ficelé et enveloppé dans du papier parchemin ou… de boucher !

30 TRANCHES

120 g (4 oz) de chocolat mi-amer ou à 70 % de cacao

+ 3 c. à soupe de beurre

+ 250 ml (1 tasse) de pistaches rôties (p. 173) hachées grossièrement, noisettes ou amandes

+ 250 ml (1 tasse) de Rice Crispies

+ 250 ml à 375 ml (1 à 1 1/2 tasse) de figues séchées hachées

+ 2 c. à soupe de sucre à glacer

Au bain-marie ou au micro-ondes, faire fondre le chocolat et le beurre.

…

Dans un bol, mélanger les amandes, les Rice Crispies, les figues et le chocolat fondu.

…

Placer la préparation sur une pellicule plastique et façonner deux rouleaux d'au moins 18 cm (7 po) de long et 5 cm (2 po) de diamètre. Envelopper les saucissons en pressant et en serrant fermement pour éviter qu'ils ne s'effritent au moment de les tailler.

…

Réfrigérer 3 à 4 h.

…

Déballer les saucissons et les mettre dans un sac plastique avec le sucre à glacer. Secouer pour bien l'enrober. Pour un meilleur effet, ficeler pour imiter l'aspect du saucisson et déposer sur une planchette en bois.

AU SERVICE

Découper avec un couteau à pain des tranches d'environ 1 cm (3/8 po).

TORTA CAPRESE

Il existe plusieurs versions de ce gâteau, originaire de Capri, qui est sans farine et très dense
en chocolat. Celle-ci, Edda Bini Mastropasqua nous l'a fait goûter à l'occasion
de notre charmante visite à Ischia, une île voisine de Capri.
Merci, Edda, d'avoir partagé avec nous votre recette de famille. On s'en délecte.

12 À 15 PORTIONS

200 g (7 oz) de chocolat à 70 % de cacao
ou chocolat mi-amer haché

+ 250 ml (1 tasse) de beurre

+ 60 ml (1/4 tasse) d'espresso
   ou café fort

+ 410 ml (1 2/3 tasse) d'amandes
   entières ou 500 ml (2 tasses)
   de poudre d'amandes

+ 1 c. à soupe de poudre à pâte

+ 250 ml (1 tasse) de sucre

+ 5 gros œufs

+ Cacao ou sucre à glacer

Préchauffer le four à 180 °C (350 °F).
Beurrer et fariner un moule à fond
amovible ou une assiette à tarte de
25 cm (10 po) de diamètre.

...

Au bain-marie ou au micro-ondes,
faire fondre le chocolat et le beurre.
Ajouter le café et laisser tempérer.

...

À l'aide d'un petit robot culinaire
ou un moulin à café, moudre les
amandes.

...

Dans un bol, mélanger les
amandes moulues et la poudre
à pâte. Réserver.

...

Dans un grand bol, à l'aide d'un
batteur électrique, battre à grande
vitesse le sucre et les œufs 5 min
ou jusqu'à ce que le mélange soit
crémeux et jaune pâle. Incorporer
les ingrédients secs.

...

Incorporer le chocolat et mélanger
délicatement. Verser la préparation
dans le moule.

...

Cuire au four environ 40 min ou
jusqu'à ce que le centre soit ferme au
toucher. Le gâteau va se solidifier en
refroidissant. Déposer sur une grille.

AU SERVICE

Laisser refroidir au moins 4 h avant
de transférer le gâteau sur une
assiette de service. Saupoudrer de
sucre à glacer ou de cacao juste
avant de servir.

CAKE À L'HUILE D'OLIVE ET AU CITRON

Plutôt étonnant de trouver de l'huile d'olive parmi les ingrédients d'un dessert. On l'essaie d'abord par curiosité. On y goûte… puis on en redemande à coup sûr. Ce cake se mange seul ou accompagné d'une salade de fruits, d'un sorbet ou d'une glace avec des petits fruits.

10 PORTIONS

CAKE

Un peu d'huile

+ 375 ml (1 1/2 tasse) de farine

+ 1 1/2 c. à thé de poudre à pâte

+ 1/2 c. à thé de sel

+ 4 gros œufs

+ 180 ml (3/4 tasse) de sucre

+ 2 c. à soupe de zeste de citron ou lime (bio si possible) râpé finement

+ 3 à 4 c. à soupe de romarin haché finement (facultatif)

+ 160 ml (2/3 tasse) d'huile d'olive ou beurre

+ Branches de romarin (facultatif)

+ Tranches fines de citron (facultatif)

SIROP

80 ml (1/3 tasse) de sucre

+ 60 ml (1/4 tasse) de jus de citron ou lime

CAKE

Préchauffer le four à 180 °C (350 °F). Huiler un moule* de 13 x 23 cm (5 x 9 po).

…

Dans un bol, mélanger la farine, la poudre à pâte et le sel. Réserver.

…

Dans un grand bol, à l'aide d'un batteur électrique, battre à grande vitesse les œufs et le sucre de 3 à 5 min jusqu'à ce que le mélange soit mousseux et jaune pâle. Ajouter le zeste et le romarin si désiré. Continuer de battre à vitesse moyenne, en incorporant l'huile graduellement.

…

Incorporer les ingrédients secs et bien mélanger. Verser la préparation dans le moule.

…

Cuire au centre du four de 50 à 60 min ou jusqu'à ce que le cake soit bien doré. Vérifier la cuisson en insérant un cure-dent au centre du cake qui doit en ressortir sec.

* Vous pouvez aussi utiliser 3 moules d'environ 9 x 18 cm (3 1/2 x 7 po). Le temps de cuisson sera alors de 30 à 35 min.

SIROP

Pendant ce temps, préparer le sirop. Dans une casserole, à feu moyen, dissoudre le sucre dans le jus de citron.

…

Lorsque le cake est encore chaud, à l'aide d'une fourchette, piquer le dessus à plusieurs endroits et badigeonner délicatement avec le sirop. Laisser tiédir et démouler.

AU SERVICE

Si désiré, garnir le cake de branches de romarin ou de tranches de citron. Pour décorer d'une branche de romarin givré, la tremper dans un blanc d'œuf légèrement battu, secouer, puis saupoudrer de sucre.

BUDINO À LA LIME

Le budino est tout simplement un flan. Si vous pensez ne pas avoir le temps de préparer un dessert, vous trouverez sans doute les quelques minutes qu'il faut pour celui-ci.

4 PORTIONS

2 gros œufs

+ 80 ml (1/3 tasse) de sucre

+ 250 ml (1 tasse) de crème 15 %

+ 4 à 5 c. à soupe de jus de lime

+ Garnitures, au choix :

   – 2 c. à soupe de zeste de lime

   – Bleuets ou framboises

Préchauffer le four à 180 °C (350 °F).

...

Dans un bol, à l'aide d'un batteur électrique, fouetter à vitesse moyenne les œufs et le sucre. Ajouter la crème, le jus de lime et bien mélanger.

...

Verser dans 4 moules individuels de 180 ml (3/4 tasse). Placer dans une lèchefrite ou un plat carré de 23 cm (9 po) qui servira de bain-marie et remplir d'eau bouillante jusqu'à mi-hauteur des moules.

...

Cuire au four de 20 à 25 min. Le centre ne doit pas être tout à fait pris.

...

Laisser tempérer sur une grille, puis réfrigérer au moins 2 h.

...

Garnir avec les zestes de lime.

SUGGESTION

Budino au café : Remplacer le jus de lime par 5 à 6 c. à soupe d'espresso ou de café fort, tiède. Garnir de grains de café enrobés de chocolat ou de chocolat râpé.

LIMONCELLO

Ciel! Pour certains Italiens, la boisson qui vous est proposée ne devrait pas porter le nom de limoncello, car un bon limoncello se fait avec de l'alcool très fort et surtout... des citrons cueillis en Italie. Il n'en demeure pas moins que cette vodka parfumée au citron fait des heureux.

1,5 L (6 TASSES)
6 à 8 citrons biologiques
+ 1 bouteille de 750 ml (26 oz) de vodka
+ 750 ml (3 tasses) d'eau
+ 250 ml (1 tasse) de sucre

À l'aide d'un économe, prélever les zestes sans la partie blanche des citrons.
...

Placer les zestes dans un bocal hermétique et verser la vodka. Laisser macérer environ 10 jours ou jusqu'à ce que les zestes aient transmis leur parfum à la vodka.
...

Dans une casserole, porter à ébullition l'eau et le sucre. Laisser bouillir environ 3 min ou jusqu'à ce que le sucre soit complètement dissous.
...

Passer l'alcool à travers une passoire au-dessus d'un bol. Déplacer la passoire avec les zestes au-dessus d'un autre bol. Verser le sirop chaud sur les zestes pour en extraire le maximum d'arôme. Laisser tiédir.
...

Ajouter à l'alcool au moins 500 ml (2 tasses) de sirop. Goûter, sucrer davantage avec le sirop, si désiré. Bien mélanger avant de répartir.
...

Le limoncello se conserve au réfrigérateur.

AU SERVICE
Servir dans des petits verres préalablement glacés au congélateur. Le limoncello s'accorde bien aux cocktails à base de jus de canneberge ou avec de l'eau pétillante.

SUGGESTION
Pour une version plus corsée, remplacer la vodka par la même quantité d'alcool 94 %.

SORBET AU CITRON ET LIMONCELLO

Sorbet au citron
+ Bleuets
+ Limoncello

Mettre le sorbet dans des coupes ou des verres refroidis, garnir de bleuets et arroser de limoncello.

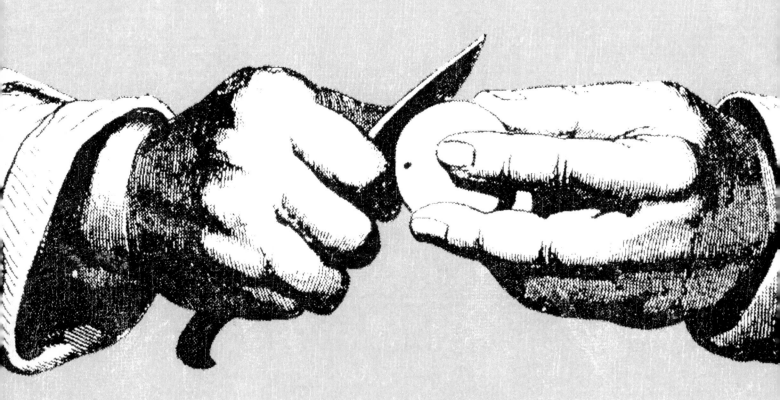

LES BASES

RECETTES ET TRUCS

AGRUMES

PRÉLEVER LE ZESTE

Il est préférable d'utiliser des agrumes issus de l'agriculture biologique, qui n'ont aucune trace de produits chimiques ou de pesticides sur leur peau. Sinon, bien laver les agrumes sous l'eau froide en les frottant avant d'en prélever le zeste. Pour obtenir un zeste finement râpé, utilisez une râpe fine, en prenant soin de vous placer au-dessus de la préparation pour récupérer toutes les huiles essentielles. Évitez de vous rendre jusqu'à la membrane blanche, qui est plutôt amère. Vous pouvez aussi prélever le zeste à l'économe et le hacher finement à l'aide d'un couteau de chef.

...

EXTRAIRE LE JUS

Un agrume à la température ambiante donnera beaucoup plus de jus qu'un agrume froid. Rouler l'agrume fermement en le pressant sur le plan de travail, ce qui écrase légèrement les fibres à l'intérieur et facilite l'extraction du jus.

...

PELER À VIF

À l'aide d'un couteau bien aiguisé, couper les deux extrémités de l'agrume. Retirer ensuite la pelure ainsi que le maximum de membrane blanche, en coupant le plus près possible de la chair. Pour faire des segments, il ne reste plus qu'à glisser le couteau entre chaque membrane qui sépare ceux-ci et à dégager délicatement les segments. Procéder au-dessus d'un bol pour recueillir le jus du fruit.

AIL

LE CHOISIR

Choisir un bulbe d'ail qui est ferme au toucher, ce qui témoigne de sa fraîcheur. Il sera plus juteux et plus aromatique. La peau doit recouvrir le bulbe au complet et ne pas être brisée. Enfin, il ne doit pas y avoir apparence de germe.

...

LE PELER

Pour peler l'ail, écraser une gousse avec la lame d'un couteau de chef en appuyant avec la paume de votre main pour ensuite la peler, la couper en deux et la dégermer si nécessaire. Enfin, hacher la gousse finement à l'aide d'un couteau de chef bien aiguisé ou utiliser un presse-ail.

...

L'ail confit a une saveur beaucoup plus douce que l'ail cru, en plus d'être beaucoup plus facile à digérer.

...

L'AIL CONFIT AU FOUR

Couper légèrement la tête du bulbe d'ail, le déposer sur un papier d'aluminium et le badigeonner généreusement d'huile d'olive. Refermer le papier pour former une papillote. Cuire au centre du four pendant environ 45 min à 180 °C (350 °F). Presser le bulbe pour en extraire l'ail confit et, si désiré, réduire en purée. L'ail confit se conservera quelques jours au réfrigérateur s'il est couvert d'huile et placé dans un récipient hermétique. Vous pouvez utiliser l'huile pour les cuissons, dans les pâtes ou les salades.

ASPERGES

LES CONSERVER

Pour conserver les asperges avant l'utilisation, couper le pied de chacune et les placer debout dans un bocal rempli à moitié d'eau fraîche. Couvrir d'un sac plastique et mettre au réfrigérateur.

...

LES PARER ET LES CUIRE

Pour parer les asperges, casser la tige en la pliant jusqu'à ce qu'elle cède d'elle-même. Si les asperges sont plutôt grosses, les peler à l'aide d'un économe pour en retirer les fibres, en arrêtant à environ 4 cm (1 1/2 po) de la pointe charnue. Si elles sont plutôt fines, il n'est pas nécessaire de les peler.

...

Cuire les asperges en les blanchissant dans de l'eau bouillante salée, à découvert, jusqu'à ce qu'elles soient tendres et légèrement craquantes sous la dent. On peut aussi les cuire à la vapeur. Pour rôtir les asperges au four, les huiler et saler avant de les déposer sur une plaque à cuisson. Cuire à 220 °C (425 °F) de 10 à 15 min. Secouer la plaque à mi-cuisson. Piquer la tige pour vérifier la cuisson.

AUBERGINES

LES RÔTIR

Laver les aubergines et couper les extrémités. Tailler en tranches d'environ 1 cm (3/8 po) d'épaisseur. Si les aubergines sont petites, les couper dans le sens de la longueur. Les déposer sur une plaque à cuisson. Badigeonner les tranches d'aubergine d'huile d'olive des deux côtés et saler. Cuire sous le gril de 4 à 5 min de chaque côté. Surveiller et retirer les tranches au fur et à mesure qu'elles sont bien dorées.

BOUILLON DE POULET

FAIRE SON BOUILLON MAISON

Un bouillon qui frémit dans une maison… c'est si réconfortant! Préparer son propre bouillon n'est vraiment pas compliqué, il s'agit de mettre tous les ingrédients dans la casserole et d'attendre que la cuisson soit terminée. Le petit truc qui fera la différence? S'assurer que le bouillon soit à peine frémissant durant la cuisson et écumer au besoin.

…

1,5 kg (3 lb) de carcasses et d'os de poulet dégraissés*

+ 1 oignon avec la peau en gros morceaux

+ 1 poireau en gros morceaux

+ 2 branches de céleri (avec les feuilles) en gros morceaux

+ 2 carottes pelées en gros morceaux

+ 2 ou 3 tomates italiennes coupées en 4 (facultatif)

+ 3 ou 4 gousses d'ail écrasées

+ 1 gros bouquet de persil

+ 1 feuille de laurier

+ Quelques tiges de thym ou 2 à 3 pincées de thym séché

+ Une dizaine de grains de poivre

+ Sel de mer

Autres ingrédients que vous pouvez ajouter : les tiges des fines herbes, la peau des tomates que vous aurez émondées, les tiges de fenouil et la partie verte des poireaux.

* Vous pouvez utiliser des ailes, des pilons ou le cou.

…

Rincer sous l'eau froide les carcasses et les os. Déposer tous les ingrédients dans une grande casserole, couvrir d'eau jusqu'à environ 4 cm (1 1/2 po) au-dessus du niveau des ingrédients. Porter à ébullition et écumer, c'est-à-dire, à l'aide d'une cuillère, enlever la mousse (l'écume) qui se forme à la surface.

…

Faire mijoter à feu doux et à découvert, pendant 1 h 30. Surtout, le bouillon doit frémir tout doucement. Verser à travers une passoire. Pour dégraisser le bouillon, vous pouvez le faire refroidir au réfrigérateur jusqu'au lendemain afin de retirer la couche de graisse qui aura figé sur le dessus.

…

Le bouillon se congèle sans problème dans des sacs de congélation, des contenants en plastique et doit être utilisé dans les trois mois. Avant de l'ajouter à une recette, assurez-vous qu'il est suffisamment salé.

FENOUIL

LE PARER

Couper les tiges du fenouil et retirer la première feuille si elle est meurtrie. Couper le bulbe en deux. Couper ensuite en quartiers, en prenant soin de laisser les feuilles attachées au cœur. Vous pouvez réserver les tiges du fenouil pour la confection d'un bouillon de légumes ou de viande.

HERBES FRAÎCHES

LES CONSERVER

Placer les herbes entre deux papiers absorbants humides dans un grand récipient hermétique et réserver au réfrigérateur.

...

LES PRÉPARER

Pour retirer les feuilles des herbes à tiges rigides, tels le thym et le romarin, tenir la tige d'une main et de l'autre, faire glisser le pouce et l'index le long de la tige afin d'en prélever les feuilles.

...

Pour les autres herbes, tels persil, basilic, aneth, origan, coriandre, menthe, prélever également les feuilles des tiges en les effeuillant tout simplement à la main. On peut hacher les feuilles au couteau de chef bien aiguisé ou à la mezzaluna. Pour ciseler les herbes, utiliser le couteau de chef ou des ciseaux.

...

Lorsqu'on mesure les herbes, en feuilles ou hachées, on presse pour bien les tasser.

NOIX, NOISETTES, AMANDES, PACANES ET AUTRES

LES CHOISIR ET LES CONSERVER

Choisir un commerce où il y a un achalandage important, car plus les noix sont fraîches, meilleures elles sont. Les conserver au réfrigérateur ou au congélateur dans des récipients hermétiques.

...

LES RÔTIR

Déposer les noix sur une plaque à cuisson et les faire rôtir au four préchauffé à 180 °C (350 °F) 8 à 10 min (noix de Grenoble, noisettes, amandes entières, pacanes), 5 à 7 min (pistaches), 4 à 5 min (amandes effilées, pignons), en surveillant régulièrement jusqu'à ce qu'elles soient légèrement dorées.

OLIVES

LES DÉNOYAUTER

Placer les olives dans un sac plastique et les écraser à l'aide d'une petite casserole ou d'une boîte de conserve. Vous pouvez aussi les écraser avec la lame d'un couteau de chef, en frappant avec la paume de votre main pour ensuite retirer le noyau ou tout simplement utiliser un dénoyauteur.

PÂTES FRAÎCHES

Mon amie Elena Faita me fait toujours l'éloge de la pâte fraîche, à moi qui suis plutôt pâte sèche. Cela lui est tout naturel de pétrir et de façonner la pâte. C'est comme un jeu. Créer avec deux fois rien finalement, que de la farine et de l'eau. Et comme par magie, on les retrouve dans notre assiette.

LES CONFECTIONNER SOI-MÊME
4 PORTIONS / 500 G (1 LB)

750 ml (3 tasses) de farine non blanchie ou farine italienne « 00 »
+ 4 gros œufs à la température ambiante
+ 2 c. à soupe d'huile d'olive
+ 2 à 3 c. à soupe d'eau au besoin

Préparer la pâte
Tamiser la farine et former un monticule sur une surface de travail.

...

Former au centre du monticule un puits profond et large de 15 à 20 cm (6 à 8 po) de diamètre. Y mettre les œufs et l'huile.

...

À l'aide d'une fourchette, mélanger les œufs dans un mouvement circulaire en incorporant peu à peu de la farine. Ramener constamment le mélange vers le centre en prenant garde de ne pas briser le contour de farine, ce qui aurait pour effet d'étendre les œufs sur toute la surface de travail.

...

Dès que la pâte devient trop ferme pour utiliser une fourchette, poursuivre avec les doigts. Incorporer le maximum de farine que la pâte peut absorber. Lorsque des petits morceaux secs de pâte se détachent de la boule de pâte, cela suffit. Il vaut mieux en manquer que d'incorporer trop de farine. Il sera toujours possible d'en ajouter au moment du pétrissage.

...

Réserver la boule de pâte et nettoyer la surface de travail à l'aide d'une spatule métallique.

...

Sur une surface légèrement farinée, aplatir la boule et pétrir du centre vers l'extérieur avec la paume de la main. Plier en deux la pâte, faire un demi-tour et reprendre, pendant environ 10 min, jusqu'à l'obtention d'une pâte homogène, élastique et soyeuse. La pâte ne devrait plus coller à la surface de travail et elle devrait reprendre sa forme initiale lorsqu'on presse dessus.

...

Mettre la pâte dans un bol, couvrir et laisser reposer de 10 à 30 min à la température ambiante.

...

Avec un robot culinaire
La pâte peut aussi être confectionnée au robot. Verser la farine, les œufs et l'huile dans le bol. Actionner par touches successives en ajoutant de l'eau jusqu'à l'obtention d'une boule. Pétrir pendant 10 min.

...

Laminer les pâtes
Pour rouler la pâte, vous aurez besoin d'une grande surface de travail et de plusieurs linges à vaisselle secs et propres.

...

Couper la pâte en 8 à 10 parts. Les réserver enveloppées.

...

Écraser une part de pâte entre les paumes des mains pour obtenir un disque assez plat de 1 cm (3/8 po) d'épaisseur. Positionner les rouleaux de la machine à pâte au maximum et passer la pâte dans le laminoir. Replier la pâte en deux et repasser une seconde fois dans le laminoir.

...

Réserver la bande de pâte sur un linge à vaisselle.

...

Recommencer l'opération avec toutes les parts de pâte et les réserver une à côté de l'autre sans qu'elles se touchent.

...

Réduire l'espacement des rouleaux d'un cran et passer chaque bande de pâte dans le laminoir avant de réduire de nouveau l'espacement des rouleaux.

...

Découper la pâte selon la forme désirée.

...

PÂTES PARFUMÉES AUX HERBES
Laminer la pâte et disposer des feuilles de persil italien ou de sauge. Replier et passer sous le laminoir de nouveau ou au rouleau à pâtisserie. Réserver cette variante de préférence pour des pâtes plus larges, lasagne, pappardelle, qui peuvent même être taillées au couteau.

...

CUISSON DES PÂTES FRAÎCHES
La cuisson dépend de l'épaisseur des pâtes. Pour des pâtes minces faites à la machine, cuire entre 30 s et 1 min dans une grande quantité d'eau salée. Pour des pâtes plus épaisses ou façonnées à la main, ajuster le temps de cuisson. Goûter!

PARMESAN

LE CHOISIR ET LE CONSERVER

Opter pour un bloc de parmesan que vous râperez vous-même, au fur et à mesure de vos besoins. Les croûtes peuvent être conservées et ajoutées en fin de cuisson d'un potage, d'un plat mijoté (osso buco, par exemple), d'une sauce tomate. Les parfums se transmettront à votre plat et en rehausseront la saveur. Conserver le parmesan comme tous les autres fromages affinés, c'est-à-dire, emballé dans un papier parchemin ou ciré, puis ensuite dans un papier d'aluminium. Surtout ne pas le conserver dans un emballage en plastique.

...

FAIRE DES COPEAUX

Pour faire des copeaux de parmesan ou de grana padano, le fromage se travaille mieux s'il est à la température ambiante. À l'aide d'un économe et sur une surface lisse du fromage, lever le copeau d'un mouvement continu jusqu'à ce que le fromage frise et roule au passage de la lame. Ce sera plus facile si vous utilisez un parmesan (ou un grana padano) plus jeune, car il sera moins sec et donc moins friable.

PETITS POIS

Les petits pois frais sont relativement rares et fragiles. Pour éviter la transformation de l'amidon, on suggère de ne pas les conserver dans les gousses plus de 12 heures. Une fois écossés, ils doivent être gardés au frais et consommés assez rapidement. Cuisez-les le moins longtemps possible, pour préserver leur couleur et leur saveur.

...

Cependant, pour bénéficier à tout moment de ce légume qui a le don d'égayer une assiette, n'hésitez pas à avoir recours aux petits pois surgelés. Vous serez agréablement surpris.

POIVRONS

LES RÔTIR ET LES PELER

Laver les poivrons, les essuyer, les déposer sur une plaque à cuisson puis les badigeonner d'huile d'olive. Cuire au four préchauffé à 200 °C (400 °F) environ 30 min en les retournant à une ou deux reprises. Les poivrons auront ramolli et seront colorés et légèrement ratatinés. Sortir les poivrons du four, les déposer dans un bol et couvrir d'un couvercle ou d'une assiette. La vapeur et la condensation ainsi créées aideront à faire décoller la peau et à les peler plus facilement. Laisser les poivrons tiédir, retirer le pédoncule, couper en deux et peler. Peut se préparer à l'avance et se conserve de 2 à 3 jours au réfrigérateur.

PROSCIUTTO

Procurez-vous du prosciutto chez un boucher, qui le tranchera idéalement pour être consommé le jour même. Le produit aura beaucoup plus de saveur et sera de texture plus agréable que celui acheté en tranches sous vide.

RAPINI

Choisir des bouquets bien verts et dont les feuilles ne sont pas ramollies. Couper le bout des tiges d'environ 1,5 cm (1/2 po) et retirer les feuilles meurtries. Pour les blanchir, les plonger une minute dans une eau bouillante généreusement salée. Égoutter et rafraîchir aussitôt. Ils seront prêts à être poêlés ou utilisés dans une recette.

TOMATES

LES ÉMONDER

Si les tomates sont utilisées dans une recette nécessitant une cuisson, il est préférable de les peler et de les épépiner. Faire une incision en forme de croix à la base de la tomate. Plonger les tomates dans une eau bouillante de 10 à 15 s ou jusqu'à ce que la peau commence à se détacher du fruit. Les plonger ensuite dans une eau très froide ou glacée, environ 30 s, pour arrêter le processus de cuisson. Retirer ensuite la peau et le pédoncule à l'aide d'un petit couteau. …

LES ÉPÉPINER

Couper les tomates en deux, horizontalement, et presser délicatement la chair avec les doigts ou à l'aide d'une cuillère pour en extraire le jus et les graines.

TOMATES RÔTIES

1 barquette de tomates cerises ou olivettes

+ Un peu d'huile d'olive

+ Sel

Placer les tomates sur une plaque à cuisson et bien les enrober d'huile. Faire rôtir au four préchauffé à 230 °C (450 °F) 10 min. Saler. Excellentes pour garnir une bruschetta ou un plat de pâtes.

TOMATES SÉCHÉES DANS L'HUILE

Les tomates séchées qui ne sont pas déjà dans l'huile peuvent être réhydratées et placées dans un bocal avec de l'huile. Pour ce faire, il faut les couvrir d'eau bouillante et les laisser tremper environ 20 min ou jusqu'à ce qu'elles soient tendres. Bien les éponger avec du papier absorbant. Couvrir ensuite d'une bonne huile d'olive et, si désiré, aromatiser avec des herbes ou des épices. Se conserve au réfrigérateur.

LEXIQUE

CHARCUTERIE

BRESAOLA ET VIANDE DES GRISONS

Ces deux spécialités sont produites à partir de la viande de la cuisse de bœuf. La bresaola est d'origine italienne et la viande des Grisons est du canton suisse du même nom. Dans les deux cas, la viande est mise au sel puis ensuite séchée plusieurs mois. Ce sont des viandes peu grasses, que l'on tranche très finement afin d'en apprécier toute la saveur.

…

GUANCIALE

On utilise la bajoue du cochon pour produire le guanciale. Très proche de la pancetta ou du bacon, le guanciale est salé sans être fumé. Parfois difficile à trouver, vous pouvez le remplacer par de la pancetta.

…

PANCETTA

La pancetta est faite à partir de la poitrine (le flanc) du cochon. Souvent roulée en forme de gros salami, elle est semblable au bacon sans être nécessairement fumée. On trouve sur le marché différentes variétés de pancetta, qu'elle soit fumée ou non, épicée ou aux herbes. On peut la remplacer par du bacon.

…

PROSCIUTTO

Ce jambon cru est fait à partir de la cuisse du cochon, désossée et salée. Celle-ci est tout simplement vieillie et séchée. On trouve du prosciutto importé d'Italie dans les charcuteries fines ou dans les épiceries italiennes.

…

SPECK

Jambon cru produit à partir de la cuisse du cochon mais à la différence du prosciutto, le speck est légèrement fumé. Une fois désossée, la cuisse est salée, parfumée (ail, herbes et épices) et légèrement fumée avant d'être vieillie et séchée. C'est une spécialité de la région du Haut-Adige. On peut le remplacer par un prosciutto traditionnel.

CONDIMENTS ET AUTRES

ANCHOIS

Petits filets de poisson sans arêtes, conservés soit au sel, soit dans l'huile d'olive. L'anchois étant très salé, on peut, au besoin, le passer sous l'eau et l'éponger avant de l'utiliser. La pâte d'anchois vendue en tube est une purée d'anchois à l'huile d'olive. Très pratique, on la trouve en épicerie fine et spécialisée.

…

CÂPRE

Bouton floral du câprier, ce petit condiment se trouve soit au sel, soit dans le vinaigre ou dans l'huile d'olive. Les câpres en saumure ou au sel peuvent être dessalées avant d'être utilisées. Il suffit de les tremper dans l'eau froide puis de les éponger.

…

HUILE D'OLIVE EXTRA-VIERGE

Qu'elle soit fruitée, piquante ou poivrée, l'huile d'olive extra-vierge première pression est la meilleure que l'on puisse se procurer. C'est une huile fabriquée de façon naturelle, en plus d'être très riche en antioxydants. N'hésitez pas à garder sous la main plusieurs variétés d'huiles d'olive selon l'usage que vous voulez en faire. Utilisez les plus fines pour y tremper un bon pain de fabrication artisanale ou pour aromatiser un poisson ou des légumes grillés, des pâtes ou une salade de laitues fines. Les moins coûteuses serviront surtout à la cuisson.

…

La couleur de l'huile peut varier du vert au doré, et n'est pas gage de qualité. Certaines huiles de grande qualité peuvent parfois paraître troubles si elles n'ont pas été filtrées, il ne faut donc pas se fier à l'aspect visuel. Choisissez une huile d'olive extra-vierge de première pression ayant un taux d'acidité bas, sous 1 %. Le degré d'acidité oléique est normalement inscrit sur les étiquettes ou directement sur les bouteilles. Conserver les huiles d'olive au frais et à l'abri de la lumière afin d'éviter qu'elles ne rancissent.

…

PIGNONS

Les pignons proviennent de différentes variétés de pins. L'Italie en est un grand producteur et… un grand consommateur depuis fort longtemps. Il est préférable d'acheter de petites quantités et de les conserver dans un récipient hermétique au réfrigérateur ou au congélateur, comme toutes les noix d'ailleurs, afin d'éviter qu'elles ne rancissent.

…

PIMENTS FRAIS ET PEPERONCINO SEC

Chaque variété de piments secs ou frais a son propre parfum et sa propre intensité de piquant, il faut donc les utiliser avec parcimonie. Il est préférable d'en ajouter au besoin plutôt que de se brûler les papilles gustatives ! En saison, opter pour les piments frais, sinon utiliser les piments secs ou les piments broyés.

...

PORCINI SÉCHÉS

Porcini en Italie, cèpes en France et bolets au Québec, peu importe leur appellation, ces champignons sont parmi les plus parfumés et le sont davantage lorsqu'ils sont séchés. Très *dépanneurs*, ils rehaussent la saveur d'un risotto, d'une pâte ou d'une sauce. Les porcini se conservent au-delà d'une année dans un récipient hermétique placé dans un endroit sec et frais.

...

VINAIGRE BALSAMIQUE

Élaboré à partir de moût de raisins blancs cuit, auquel on ajoute un vieux vinaigre pour déclencher la fermentation, le vinaigre balsamique est ensuite vieilli en fût de bois au même titre qu'un vin. On trouve, sur le marché, des vinaigres balsamiques ayant 8, 12 ans, voire des *extra vecchio* de 25 ans et plus.

...

Plus le vinaigre est âgé, plus il est concentré, sirupeux et doux. Son taux d'acidité est alors beaucoup plus bas. Plus il est âgé, plus son prix est élevé. On utilise donc les vinaigres plus jeunes pour les salades, les marinades et on déguste les plus vieux en versant un mince filet sur une viande (veau ou bœuf), un poisson ou des légumes grillés, sur une bouchée de parmesan, sur des fruits (fraises, pêches, poires), sur des pâtes ou un risotto, sur un carpaccio et même sur une glace à la vanille.

...

Idéalement, qu'il soit jeune ou vieux, choisir un vinaigre qui porte l'appellation « aceto balsamico di Modena » ou « aceto balsamico di Reggio Emilia », qui témoigne de la qualité du vinaigre.

...

VINAIGRE BALSAMIQUE BLANC

Ce vinaigre est considéré davantage comme un condiment qu'un vinaigre. On devrait plutôt l'appeler *vinaigre blanc de type balsamique*, car sa méthode de fabrication est différente de celle du vinaigre balsamique et il n'est pas vieilli en fût, comme ce dernier. De couleur transparente à ambrée, son goût se rapproche de celui d'un vinaigre de cidre avec une finale très fruitée. Le vinaigre balsamique blanc peut remplacer le vinaigre balsamique traditionnel spécialement avec les poissons, les volailles, les viandes blanches, les salades et les fruits.

...

VIN COTTO

Le vin cotto est tout simplement le moût de raisins (jus obtenu des raisins) qui est réduit doucement jusqu'à l'obtention d'un sirop concentré au goût sucré. Il porte différentes appellations selon son origine, parfois appelé mosto cotto, saba ou sapa. Le vin cotto sert à aromatiser les sauces, les fruits et les desserts. Souvent utilisé comme complément dans les plats, on en verse tout simplement un léger filet autour d'une salade, des légumes grillés et bien d'autres aliments.

DOUCEURS

BISCOTTI

On craque pour eux ! Biscotti parce que ces biscuits sont cuits une première fois en rouleaux puis une seconde fois, en tranches. Les biscuits traditionnels sont plutôt secs et il est agréable de les tremper dans le vin santo, le café…

...

PANETTONE ET PANDORO

Pains briochés traditionnels souvent servis pendant les fêtes de Noël, le panettone est une spécialité de Milan et le pandoro, en forme d'étoile, vient de Venise. Simples et légers, on les trouve nature ou parfois garnis de fruits confits ou de chocolat. On les sert en tranches et rôtis au petit-déjeuner, en collation en après-midi, accompagnés d'un verre de moscato, ou à la fin d'un repas. On peut également utiliser le panettone pour faire du pain doré délicieux.

...

PANFORTE

Genre de gâteau plat, sans levure, fait de fruits secs, de fruits confits et de noix. Aux arômes de miel et d'épices, cette grande spécialité de Sienne est très savoureuse.

FROMAGES

ASIAGO, CROTONESE, PECORINO ROMANO

Le pecorino romano est souvent simplement appelé romano. Si vous choisissez ces fromages plus âgés et donc plus secs, ils seront râpés et ajoutés au dernier moment à un plat de pâtes. N'hésitez pas à les servir à la fin du repas, en prenant soin de les sortir une heure à l'avance. Ils seront excellents accompagnés de fruits secs et de noix rôties.

...

CACIOCAVALLO, FONTINA ET PROVOLONE

Voici trois fromages italiens à pâte pressée qui peuvent remplacer la mozzarella ferme dans un plat gratiné, la pizza ou un panini.

...

GORGONZOLA ET TORTA

Deux pâtes persillées ayant une texture très crémeuse, ils se tartinent très bien sur un bâtonnet de céleri ou une feuille d'endive. Ils apporteront beaucoup de goût et d'onctuosité à un plat de pâtes ou à une polenta. La torta est un assemblage de mascarpone et de gorgonzola. Ces fromages sont très appréciés en fin de repas.

...

GRANA PADANO

Grana est le générique pour une variété de fromages fermes et granuleux, dont le grana padano et le parmesan d'appellation d'origine controlée parmigiano reggiano sont les plus connus. Excellent fromage à râper, le grana padano peut d'ailleurs remplacer le parmigiano reggiano et il est moins cher. Râper le plus âgé et utiliser un plus jeune pour en faire des copeaux, car il sera moins friable et le résultat plus satisfaisant.

...

MASCARPONE

Fromage frais à la texture crémeuse et veloutée. Cet aliment devenu populaire grâce au tiramisù est d'ailleurs surtout utilisé dans les desserts. Vous pouvez l'aromatiser avec du miel, des zestes d'agrumes, des épices... Le mascarpone est aussi utilisé dans les plats salés et rehausse, entre autres, un plat de pâtes.

...

MOZZARELLA DI BUFALA, FIOR DI LATTE, MOZZARINA, MOZZARELLA FERME ET BOCCONCINI

Tous des fromages à pâte pressée et filée, appropriés dans les pâtes, sur une pizza, dans un panini, une salade et une grande diversité de mets.

...

La mozzarella di bufala est importée d'Italie. Elle est fraîche (non affinée) et faite à partir de lait de bufflonne. La fior di latte est une mozzarella fraîche faite à partir de lait de vache aussi importée d'Italie. On en trouve également de fabrication canadienne : la mozzarina est faite au Québec.

...

La mozzarella ferme, faite à partir de lait de vache, est un fromage légèrement affiné, à pâte ferme, qu'on peut râper et qu'on trouve surtout en Amérique du Nord.

...

Le bocconcini est le petit frère de la mozzarella fraîche. Peu salé, il doit être bien assaisonné et garni d'herbes fraîches, de pesto, d'huile d'olive.

...

PARMESAN

Que dire de ce fromage au goût unique ? Celui qui porte l'appellation d'origine contrôlée « Parmigiano Reggiano » provient de la région d'Émilie-Romagne. C'est un fromage au lait cru de vache, vieilli 12, 24, 36 mois, voire plus. Plus il est âgé, plus il est sec et goûteux. Retenez que le parmesan coupé en bouchées, accompagné ou non d'un bon vinaigre balsamique âgé, commence ou termine très bien un repas.

...

RICOTTA ET RICOTTA SALATA

Ici, au Québec, la ricotta fraîche est faite à partir de lait de vache. Très douce, elle peut aussi bien être utilisée dans les plats sucrés que salés. Vous la trouverez fraîche dans les épiceries italiennes ou dans les supermarchés. Ajouter de 2 à 3 cuillerées à soupe de crème par tasse de ricotta fraîche et utiliser cette crème dans les gratins, les pâtes et les farces. La ricotta se sert aussi au petit-déjeuner sur un pain grillé.

...

La ricotta salata est affinée et elle a un goût salé agréablement prononcé. De texture ferme et légèrement granuleuse, la ricotta salata est excellente râpée sur les pâtes, sur un risotto ou servie en fin de repas.

TOMATES

CONCENTRÉ DE TOMATES

Vendu en tube, c'est une pâte de tomates qui est concentrée à différents degrés. Parfois, il peut porter l'appellation de « double » à « triple » concentré. On le trouve dans les épiceries italiennes et de plus en plus dans les supermarchés. Le concentré de tomates est fait à partir de tomates gorgées de soleil et ça se goûte ! Une fois ouvert, le contenu du tube a l'avantage de se conserver très longtemps au réfrigérateur, sans qu'il y ait oxydation ou altération.

…

PÂTE DE TOMATES

La pâte de tomates s'achète en conserve. Vous pouvez congeler un restant dans des petits bacs à glaçons. Pour la conserver au réfrigérateur, la couvrir d'huile d'olive.

…

TOMATES ITALIENNES

Très utilisée dans la cuisine italienne, c'est pourtant à l'Amérique que la tomate doit ses origines. En saison, il faut choisir la Romanello, la Roma ou la San Marzano et en profiter pour faire une sauce ou tout simplement les émonder et les mettre en conserve ou les congeler. Vous apprécierez en hiver d'avoir cette réserve !

…

TOMATES SÉCHÉES

Les tomates séchées ont un goût parfumé et sont légèrement sucrées. Pour les réhydrater, les mettre dans l'huile avant de les utiliser (p. 179). Vous pouvez également les acheter déjà dans l'huile, elles sont alors prêtes à être utilisées et rehausseront agréablement un plat de pâtes, des crostini ou une salade.

VINS ET ALCOOLS

AMARETTO

Cette liqueur d'amandes a vu le jour au XVIᵉ siècle. Elle est fabriquée à partir d'amandes amères (et de noyaux de fruits), d'où le nom *amaretto* qui vient de *amaro* et qui signifie « amer », en italien. Elle figure dans de nombreuses recettes de cocktail et on l'utilise en cuisine surtout dans les desserts, pour aromatiser certains biscuits, des gâteaux, la glace à la vanille, le café…

…

CAMPARI

Boisson alcoolisée de couleur rouge et de goût plutôt amer, élaborée à partir d'une infusion d'herbes, de fruits et d'autres ingrédients. Il est souvent associé au jus d'orange et servi frappé sur glaçons, allongé d'eau gazéifiée ou pétillante.

…

GRAPPA

Eau-de-vie italienne par excellence, elle est élaborée à partir du marc du raisin, elle titre autour de 40° d'alcool. La grappa se sert en fin de repas. Jeune, elle est transparente et se boit froide, soit autour de 10 °C, et plus âgée, elle est ambrée et se boit autour de 16 °C.

…

LIMONCELLO

Liqueur à base de citrons et pas n'importe lesquels : ceux du sud de l'Italie. On le sert surtout en digestif, bien froid. Vous pouvez également en verser un filet sur un sorbet au citron ou sur une glace à la vanille (sgroppino). À utiliser dans l'élaboration des cocktails avec jus de canneberge, eau pétillante ou vin pétillant…

…

MOSCATO D'ASTI

Vin blanc fruité et très aromatique, il est élaboré essentiellement avec le muscat blanc dans la région du Piémont. Il accompagne merveilleusement bien les desserts aux fruits frais, dont notamment ceux au citron ou à la poire. Le servir bien froid à l'apéro ou en fin de repas.

…

PROSECCO

Prosecco est avant tout le nom d'un vieux cépage du Frioul, utilisé pour élaborer ce vin blanc mousseux de type frizzante ou spumante, fruité, simple et très agréable, au goût léger d'amandes.

…

SAMBUCA

Liqueur d'anis fabriquée principalement à partir de l'anis étoilé. Elle se sert nature, allongée d'eau, sur glaçons à l'apéro ou dans le café à la fin d'un repas. La coutume est de servir la sambuca dans un petit verre agrémenté de trois grains de café et de faire flamber juste avant de déguster.

…

VERMOUTH MARTINI OU NOILLY PRAT

Très proches l'un de l'autre, le premier est italien, le second est français. Élaborés à partir d'un vin blanc auquel on ajoute herbes, épices, alcool et sucre, ces vins apéritifs sont aussi utilisés en cuisine, dans les sauces. Si vous n'en avez pas sous la main, les remplacer par un vin blanc sec.

…

VIN SANTO

Originaire principalement de Toscane, ses arômes de fruits confits, de miel, de noisette, de caramel ou de praline sont présents grâce en partie au principe d'élaboration, qui consiste à laisser sécher les raisins au soleil afin d'obtenir une concentration de sucre. Ce vin doux serait aussi appelé « nectar des dieux ».

Grazie

REMERCIEMENTS À ma mère, mon père, ma grand-mère Laurence, toute ma famille en fait ! Je vous dois le plaisir de partager et de cuisiner. + À Stéphan Boucher, mon formidable complice. + À Jean Longpré, pour ses magnifiques lumières, et aussi à Nathalie, pour son assistance. + À Louise Loiselle, pour son indéfectible engagement et à toute l'équipe de Flammarion. + À l'équipe d'orangetango, Mario, Élise, Isabelle, pour l'orange et le tango, votre fraîcheur et votre couleur. + À Monic Richard, pour la précision de son regard, et à Maxime, son assistant. + À Chantal Canse, André Perras, Colette Brossoit, mes goûteurs attitrés, et à toutes les autres fourchettes volontaires, pour la générosité de leurs commentaires. + À Marie-Claude Goodwin, pour son écoute fidèle. + À Patrick Leimgruber, pour son humoristique disponibilité. + À Zone3 et à Télé-Québec, pour votre confiance. + À la Chambre de commerce italienne, *grazie mille*. + À Josée Robitaille, pour sa lecture si attentive. + À Louise Pesant, pour m'avoir aidée à ordonner ce livre. + À Maryse Cantin... Merci. + Elena Faita, Steve, Jean-François et André... Merci et encore merci. + À Anne Filion, pour son enthousiasme. + À Gaz Métro, pour son appui renouvelé. + À tous ceux qui ont participé à ce livre avec amitié, complicité et souvent un savoir-faire culinaire. + À tous les maraîchers et artisans dont la qualité des produits fait toute la différence. + Et à vous tous qui me faites le plaisir de me lire.

ACCESSOIRES Pour nous avoir aidés à si bien mettre la table, merci à Arthur Quentin + Atelier François Béraud (table en acier noir) + Casa + Couleurs + La Maison d'Émilie + Le temps des cigales (artisan du bois) + Les Touilleurs + Maison La Cornue + Moutarde + Quincaillerie Dante + Tom Littledeer (ustensiles en bois).

INDEX

A TAVOLA !

(à table !)